RÉDIGER
POUR CONVAINCRE

Jean-Paul LAURENT

RÉDIGER
POUR
CONVAINCRE

15 conseils
pour une écriture efficace

DEUXIÈME ÉDITION REVUE

DUCULOT

© Éditions DUCULOT, PARIS-GEMBLOUX (1984)
(*Imprimé en Belgique sur les presses Duculot.*)

D. 1984, 0035.40

Dépôt légal : août 1984

ISBN 2-8011-0525-2

(ISBN 2-8011-0312-8, 1re édition)

AVANT-PROPOS

LA TECHNIQUE EST AU SERVICE DU TALENT PERSONNEL.

La fonction de ce petit ouvrage est de fournir quelques techniques très simples susceptibles de donner à un texte une plus grande force de communication.

L'objectif est de répondre à la question : « Comment rendre un texte plus efficace ? ».

Qu'est-ce que l'efficacité en matière d'écriture ? C'est la faculté de rendre un texte *actif*. Actif au point de convaincre, de mobiliser, de captiver.

Cette activité est liée à la *grammaire* du texte. C'est par la manière dont il est « tricoté » qu'un texte se révèle efficace.

Les conseils proposés au fil de ces pages attirent l'attention sur quelques aspects du fonctionnement du langage. Au praticien de s'exercer à les appliquer, d'en vérifier les effets, de les adapter à ses besoins. La technique est au service du talent personnel.

Les rubriques proposées ici aideront ceux qui ont à composer des lettres circulaires, des billets d'instruction, des discours de circonstance, des communications professionnelles.

AVERTISSEMENT

Consacré à l'apprentissage de l'écriture, cet ouvrage contient de nombreux textes. Ces textes ne sont pas des modèles mais des matériaux à utiliser pour la mise en chantier d'un travail.

Les textes retenus appartiennent à un triple univers : journalistique, politique, publicitaire.

Ce choix peut étonner. Il se justifie pourtant. En matière d'écriture utilitaire *efficace,* les exemples n'abondent pas dans la vie quotidienne. Rares sont les textes rédigés au prix d'une étude attentive des effets de communication. C'est dans les trois domaines évoqués ci-dessus que se rencontrent les plus notables exceptions.

Que le lecteur ne se méprenne pas sur la présence de textes *publicitaires.* L'objet de ce livre n'est pas l'apprentissage de la manipulation d'autrui par le poids des mots. Nous sommes de ceux qui pensent, au contraire, que l'étude du fonctionnement de la communication peut rendre plus libre. Apprendre à maîtriser ces mécanismes peut, certes, conduire à en faire un usage critiquable. Il en est ainsi de toutes les techniques, de tous les pouvoirs.

Nous espérons, quant à nous, contribuer, par cet ouvrage, à la diffusion la plus large possible d'un petit savoir-faire, gage, peut-être, d'une plus grande liberté.

Quatre définitions complémentaires sont proposées au lecteur :

Écrire, c'est créer des liens / Écrire, c'est vouloir être lu / Écrire, c'est influencer / Écrire, c'est donner son point de vue.

Nous parlerons essentiellement de l'acte d'*écrire*. Il va de soi que nos conseils vaudront tout autant pour la préparation d'une intervention orale.

I. ÉCRIRE, C'EST CRÉER DES LIENS

Cette première rubrique découle de la nature même de l'acte de parole. Parler, c'est jeter un pont entre des interlocuteurs et soi-même.

Tels les filins lancés par-dessus un fleuve pour raccorder une rive à l'autre, les paroles relient les hommes. À chaque bout d'une parole, il y a quelqu'un.

Le texte est un objet étrange. Signe d'un *échange*, il réalise même cet échange. C'est sa première efficacité.

Augmenter et intensifier les marques linguistiques de l'échange, contribuera à l'efficacité du texte.

Concrètement, il faudra penser à préciser qui parle et à qui. Il faudra dire *d'où* on parle. Il faudra, comme pour un passage à la télévision, « maquiller » les protagonistes.

C'est que tout texte est un peu un plateau ou une scène de théâtre. Prendre la parole, c'est sortir des coulisses pour paraître en pleine lumière : il faut étudier la manière de se présenter, de planter le décor, de jouer son rôle.

On pourrait dire, en termes plus précis, qu'il faut veiller à bien *signer* son texte, à bien l'*adresser*, à lui donner un bon ancrage dans l'espace et dans le temps, à surveiller ce qu'on dit de soi et de son interlocuteur.

1. PERSONNALISEZ...PRONOMINALISEZ.
2. PRÉCISEZ D'OÙ VOUS PARLEZ.
3. SURVEILLEZ VOTRE IMAGE DE MARQUE.

1. PERSONNALISEZ...PRONOMINALISEZ

Rien n'est plus contradictoire que la parole et l'anonymat. Parler rime avec personnaliser. Un message efficace comporte des traces de ses destinataires comme de ses signataires. Il faut penser à les y déposer. Certes, il arrivera qu'en certains cas un texte gagne à être neutre ou impersonnel. Ce sera alors l'effet d'un calcul, d'une stratégie. On aura *étudié* les indices personnels à placer ou à ne pas placer dans tel texte. Toujours, l'écrivain aura à se poser la question : « mon texte est-il bien personnalisé en fonction des effets que je cherche à obtenir ? ».

Outre l'emploi des noms propres, le premier indice linguistique de la personne est le pronom... personnel. Il possède la vertu de mettre en scène les protagonistes de la communication. Employer JE ou ne pas l'employer, dire TU ou VOUS ou ne pas interpeller l'interlocuteur, cela change le lien instauré par la parole. La publicité le sait, elle qui tente d'accrocher le lecteur ou l'auditeur :

« Pourquoi n'êtes-*vous* pas propriétaire ? En *vous* prêtant de l'argent *nous* pourrions *vous* aider à le devenir. »

« Apprenez à nouer un sari. *Nos* professeurs *vous* attendent. Ils *vous* dévoileront tous les mystères d'un sari drapé comme il sied. »

Ici, toutes les marques, verbales ou possessives, de la première et de la deuxième personne viennent renforcer l'usage des pronoms.

Cependant, ces exemples sont trop simples. Ce qui est en question ici, ce sont les multiples valeurs attachées aux indices personnels et leur répartition équilibrée dans un texte.

Passons rapidement en revue quelques-uns de ces emplois.

Le pronom JE peut revêtir une valeur de *témoignage* et donner à un texte une allure franche et un ton direct. Ceci sera d'autant plus net que le pronom de la deuxième personne viendra croiser celui de la première personne. Comparons :

> « Il m'apparaît souhaitable, en tant que premier Ministre, de venir m'entretenir avec les français ».

et

> « Je souhaite, en tant que premier Ministre, venir m'entretenir avec vous, les français ».

ou encore

> « Mes vœux s'adressent en priorité à mes fidèles amis »

et

> « Je vous adresse mes vœux en priorité, à vous, mes fidèles amis ».

À l'opposé, on peut rencontrer aussi le JE généralisable qui englobe aussi bien l'ensemble des interlocuteurs que des tierces personnes :

> « Si je n'ai pas de tête, je dois avoir des jambes »

Les pronoms TU et VOUS peuvent endosser cette même valeur générale. L'effet est d'associer plus étroitement l'autre à ce qu'on raconte.

Le pronom de la première personne du pluriel peut, lui aussi, revêtir des valeurs diverses. À côté du nous majestatif — à emploi assez rare, convenons-en — nous pourrons avoir recours au NOUS *englobant* ou au NOUS ambigu (qui est souvent un VOUS déguisé). C'est le cas du NOUS professoral : « Alors, nous nous taisons ! »

Il y a un emploi du IL ou du ON à la place des pronoms de première et de deuxième personne qui permet soit d'*étendre* l'objet des propos au-delà des interlocuteurs (« Maintenant, *on* lance des sondages à propos de tout et de rien ») soit de masquer, ou de mettre dans l'ombre, la présence de celui qui parle. Grâce à ce procédé, le locuteur prend une distance par rapport à ce qu'il dit :

> « On félicite le maire et tous ses adjoints »
> « On apprend avec surprise la démission du gouvernement ».
> « On regrette de devoir constater la défection du célèbre champion ».

L'interlocuteur, quant à lui, sera plus ou moins présent dans la communication selon la récurrence d'expressions du type « Dites-*vous* bien que... », « Savez-*vous* que... ». « *Vous* direz sans doute que... »

À l'inverse, l'usage d'un mot comme *chacun* en lieu et place d'un pronom de deuxième personne, occultera la présence de l'interlocuteur : « Encore faut-il que *chacun* fasse un effort ».

Au moment d'écrire un texte, la question du choix des *marques personnelles* doit se poser : « mon texte est-il *bien* personnalisé en fonction des effets que je cherche à obtenir ? ».

COMPARONS

- Nous mettrons tout en œuvre pour ne pas vous décevoir.
- Chez nous, l'ambition n'est pas un défaut.
- Le café, vous le prenez avec ou sans kilos ?
- Ne vous laissez pas désespérer par les vilénies de l'hiver.
- Chez X, nous vous laissons choisir ce que vous voulez.

- Tout sera mis en œuvre pour ne décevoir personne.
- L'ambition n'est pas toujours un défaut.
- Le café, on le prend avec ou sans kilos ?
- Ne nous laissons pas désespérer par les vilénies de l'hiver.
- Chez X, on choisit ce qu'on veut.

En guise d'exercice, nous pouvons examiner le texte ci-après. Regardons l'usage qui y est fait des marques pronominales. Quels en sont les effets sur le lecteur ? Quel rôle joue-t-il au niveau de l'efficacité du message ?

ÉDITORIAL

Vous découvrez ce nouveau journal et vous vous interrogez...
Le nom de la Société Générale de Banque vous est probable-
ment aussi familier que celui de votre rue. Peut-être même lui

connaissez-vous un visage près de chez vous. Il est vrai qu'avec plus de 1100 agences et 15000 personnes, elle est présente dans tout le pays.
Le métier de la banque, c'est de résoudre tous les problèmes que peut poser l'argent. Ce n'est pas rien ! Mais savez-vous que ces questions de tous les jours, finalement, sont simples ? À condition, toutefois, d'en parler franchement, concrètement, dans un langage clair. Et sans jargon.
C'est ce que nous comptons faire dans ce magazine bimestriel édité par la Société Générale de Banque.
Nous n'allons pas, au fil de ces pages, vanter ses charmes, ni vous seriner des slogans publicitaires. Nous aimerions vous rendre service. Cerner vos vraies préoccupations et y répondre de manière utile.
Impossible de le faire sans vous, évidemment. Écrivez-nous, questionnez-nous, faites-nous part de vos suggestions. Une rubrique est réservée à votre courrier. Mais c'est tout le journal qui doit répondre à vos attentes. Dans chaque numéro, un dossier fera le tour complet d'un sujet. Cette fois-ci, il s'agit des problèmes d'argent que rencontrent les jeunes lorsqu'ils veulent poursuivre des études ou s'installer professionnellement. Plusieurs autres articles vous apporteront des tas d'informations qui peuvent vous être précieuses. Une page de documentation scolaire racontera, en images, l'histoire de la monnaie.
Alors, si vous le voulez bien, nous nous retrouverons régulièrement, pour parler argent sans détours, sans fausse pudeur.
Et même pour en rire...

L'ARGENT PRATIQUE

P.S. Rendez-vous tous les deux mois pour un nouveau numéro de l'Argent Pratique, mais nous nous écrirons entre-temps, n'est-ce pas ?

2. PRÉCISEZ D'OÙ VOUS PARLEZ

Si l'art de la communication efficace implique une bonne mise en scène de tous les acteurs, le *décor*, lui aussi, doit être soigneusement étudié.

Que voulons-nous dire en parlant ainsi de *décor* ?

Toute parole est ancrée dans un contexte précis et concret. Par là, toute parole est particulière. Chaque fois qu'elle est émise, elle est fixée dans l'espace et dans le temps. Les linguistes ont attiré notre attention là-dessus : en parlant, nous montrons un point du temps et de l'espace qui devient un point de repère pour situer le passé, l'avenir, l'ailleurs. Si quelqu'un dit : « Viens ici demain », le sens des mots *ici* et *demain* ne se comprendra qu'en référence au moment et à l'endroit où l'énonciation a eu lieu.

Un message peut indiquer plus ou moins précisément les traces de son ancrage spatio-temporel. Or, souvent, la précision de celui-ci augmentera l'efficacité du texte. Ainsi, on peut comparer :

> « *Hier,* rue des Saints-Pères, *à deux pas de chez moi,* j'ai découvert une de ces boutiques d'antiquités comme on n'en rencontrait plus *depuis longtemps.* »

et

> « Rue des Saints-Pères, j'ai découvert une de ces boutiques comme il n'en existe qu'à Paris. »

Comme ces deux exemples peuvent le montrer, ce qui compte surtout, ce n'est pas l'usage de notations objectives de lieu et de temps (à Paris, dans la rue des Saints-Pères, le 3 juin, à 17 h 00, ...) mais les précisions spatiales et temporelles *par rapport à l'acte de parole* (ici, hier, près de moi, ...)

La présence de ces indicateurs grammaticaux a pour effet, encore une fois, de souligner la *participation* du destinataire, sa situation dans le même contexte que le signataire.

Donnons-en un bref exemple publicitaire et humoristique.

La liste des marques spatio-temporelles relatives au moment de la parole et au lieu de l'énonciation, ne se limite pas à ces mots *ici, aujourd'hui* et *demain*.

En cherchant bien, chacun pourra trouver une suite de termes susceptibles de jouer ce rôle. Citons-en quelques-uns : *maintenant, la semaine prochaine, dans trois jours, à quelques pas*, etc.

À ce premier groupe, il convient encore d'ajouter la classe des *démonstratifs* (*Ce*, etc.). Comme son nom l'indique, le dé-*monstr*atif a pour fonction de *montrer*. Il a une *action* démonstrative. Et cette action est concomitante de l'acte de parole. Si je dis à quelqu'un : « *Ce* film est merveilleux », je désigne un film en même temps que je parle et j'amène mon interlocuteur à *assister* à mon geste.

L'effet est alors d'associer locuteur et allocutaire à une même expérience. À l'intérieur d'un texte, les démonstratifs renverront souvent à un thème cité dans les phrases précédentes. Ou bien à une illustration qui accompagne le texte.

Un autre point de la grammaire qu'il faut évoquer ici est, évidemment, le *temps verbal*. L'emploi de certains temps et de certains verbes permet en effet de parler du déroulement d'un événement en le situant par rapport au moment de la parole.

- Le futur immédiat : « nous *allons* nous décider ».
- Le passé immédiat : « Ils *viennent de* conclure un accord ».
- Le début de l'action : « *Commencez* déjà à prendre soin de votre peau ».
- La fin de l'action : « *Cessez de* souffrir grâce au remède du docteur Fossion ».
- La durée de l'action : « *Continuons à* mener notre combat ».

L'ensemble de ces éléments grammaticaux ont bien pour effet d'amener l'interlocuteur à considérer les faits en fonction du contexte spatial et temporel de l'acte d'énonciation. Cela peut se reproduire en un schéma :

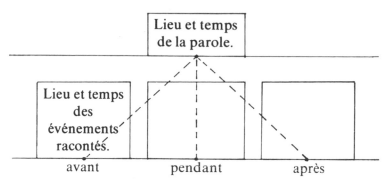

La question à se poser, à ce niveau-ci, lors de l'écriture d'un texte, est la suivante : « Les événements que je rapporte sont-ils clairement situés par rapport au moment où un auditeur entendra mon texte ? » Ce conseil est particulièrement d'application dans des échanges *oraux*.

COMPARONS

• Puisque je me trouve *près de vous dès maintenant,* permettez-moi de vous poser *tout de suite* une question importante.

• L'émission *étant sur le point de* se terminer, je m'*empresse de* conclure par *cette* comparaison...

• Puisque l'occasion nous a été donnée de nous rencontrer, permettez-moi de vous poser une question importante.

• Pour terminer l'émission, je conclus par une comparaison...

● *Dans les circonstances pré-sentes,* je vous conseille de vous ranger *ici,* à mes côtés.

● Vu les circonstances, je vous conseille de vous ranger à mes côtés.

Exerçons-nous en examinant les deux textes qui suivent sous l'angle de leur ancrage spatio-temporel.

a. « Au printemps dernier, l'économie de la France était en très bonne voie, les échanges extérieurs se trouvaient équilibrés, l'État couvrait ses dépenses, le franc affirmait une solidité exemplaire. De ce fait, l'augmentation réelle du niveau de vie des Français, déjà en cours depuis des années, devait se poursuivre à coup sûr. Bien entendu, au milieu de l'extraordinaire transformation qu'accomplissait notre pays, beaucoup de choses laissaient à désirer. Il s'agissait d'y remédier à mesure et sans secousses. C'est bien ce que nous faisions, et nous en avions les moyens.

(...)

Françaises ! Français ! C'est donc une grande décision nationale que vous allez avoir à prendre. Par la force des choses et des actuels événements, le référendum sera, pour la nation, le choix entre le progrès et le bouleversement. Car c'est bien là l'alternative. Quant à moi, je ne saurais douter de la suite. Car aujourd'hui, comme depuis bien longtemps et à travers bien des épreuves ! je suis, avec vous, grâce à vous, certain de l'avenir de la France !

Vive la République ! Vive la France ! »

DE GAULLE, 10 mars 1969.

b. Je présente ici un programme écologique, un mouvement écologique. Et d'abord, ce mot nouveau pour beaucoup d'entre vous, qu'est-ce que c'est ? Ce n'est pas un mot gadget qui a été inventé pour les besoins de la campagne, c'est un mot créé en 1866 par le biologiste allemand Ernst Haeckel qui étudie les rapports entre les êtres vivants et le milieu où ils vivent.

Aujourd'hui, je viens de revenir en France pour étudier avec vous les problèmes très graves qui se posent. Après avoir beaucoup étudié les problèmes de la faim dans le Tiers-Monde, j'estime aujourd'hui qu'il est temps de s'occuper des problèmes de nos pays.

Mais nous les écologistes, on nous accuse d'être les prophètes de malheur et d'annoncer l'Apocalypse. Mais l'Apocalypse, nous ne l'annoncerons pas, elle est là parmi nous. Elle se trouve dans les nuages de la pollution qui nous dominent, dans les eaux d'égout que sont devenues nos rivières, nos estuaires, nos littoraux marins.

On espérait tirer de ces eaux de la mer des ressources importantes, on pensait que ce serait le grenier de l'humanité de demain, ces eaux, ces estuaires, ces plateaux continentaux. Ce sont aujourd'hui nos poubelles, là où on jette tous nos détritus.

On a dit que j'étais un vieux professeur qui se baladait à vélo. Eh oui, le 16 mars, j'étais avec mes Amis de la Terre, de la porte d'Orléans à la Concorde pour montrer que Paris pourrait être, au moins pour un jour et dans quelques rues, le domaine de ces instruments de transport à deux roues qui ne polluent pas.

On a dit que j'étais un fantaisiste. Je crois que les 20 livres que j'ai écrits, la diffusion qu'ils ont eue, ôtent beaucoup de poids à de tels arguments. »

René DUMONT
Campagne présidentielle de 1974

3. SURVEILLEZ VOTRE IMAGE DE MARQUE

On ne parle pas sans se trahir. Il est difficile de s'exprimer sans laisser transparaître une certaine image de soi-même. Et de ceux à qui on parle. On croit parler d'un objet bien précis, bien net, bien éloigné de soi-même et voilà qu'on se surprend à parler *aussi* de soi-même.

Prenons un exemple. Tournons le bouton de la radio. Quelqu'un parle : c'est Madame Soleil. Elle répond aux questions de ses auditeurs :

> « Attendez un instant, je *contrôle* les planètes... »
>
> « Laissez-moi quelques secondes pour *étudier* votre thème... »
>
> « Attendez trois minutes pour que je *fasse mes calculs...* »

D'innombrables expressions évoquant la rigueur scientifique ponctuent le discours de Madame Soleil. Inconsciemment, ces mots créent, chez l'auditeur, une certaine image de Madame Soleil : une image de sérieux et d'étude.

Dans le cas présent, nous pouvons être enclins à croire que cette image est le fruit d'une tactique. L'entreprise est périlleuse, en effet. Faire de l'astrologie à la radio peut paraître léger. Heureusement, quelques techniques langagières peuvent venir suppléer et rectifier... l'image de marque.

Cependant, le phénomène de l'image de marque est constant. Nous n'y échappons dans aucune de nos conversations. Subtilement et imperceptiblement, nos propos construisent notre réputation.

Symétriquement, l'idée que nous nous faisons de notre interlocuteur ressort aussi de notre langage. En nous adressant à lui, il est difficile d'éviter de la « qualifier ». Lisons la lettre publicitaire suivante :

> Madame,
> Monsieur,
>
> Vous menez une existence active, passionnante par bien des côtés, mais parfois fatigante.
>
> Vous éprouvez sans doute la satisfaction de vivre intensément, mais peut-être aussi le regret d'évoluer dans une époque trop dominée par les techniques.
> Vous aspirez, comme il est normal, à faire la pause.
> Pour ajouter une dimension nouvelle à votre vie.
> Pour profiter de moments de dépaysement, si possible original.
>
> Et vous pressentez, à juste titre, que les arts peuvent vous apporter cette autre dimension et ce dépaysement.
>
> Vous avez raison : l'art s'adresse directement à vous. Ne craignez surtout pas de ne pas être initié : CONNAISSANCE DES ARTS vous donne accès à l'univers des formes et des couleurs.

L'ensemble du texte bâtit une certaine image des destinataires, êtres captifs de leur travail et en quête de distraction de bon niveau. La construction de cette image est évidemment au service de la publicité : vendre des cahiers d'art.

La maîtrise de cette élaboration de l'image de marque est souvent acquise par les hommes politiques. Ils ont compris combien le langage est pour eux la meilleure ou la pire des choses. Professionnels de la chose publique, ils sont souvent tout autant professionnels de l'écriture et de la parole.

Les journalistes aussi manient élégamment le verbe en vue de façonner le portrait... de leurs lecteurs ou de leurs interlocuteurs. Considérons les quelques phrases suivantes, prononcées par Yvan Levaï, journaliste à Europe n° 1. Il s'agit des premières phrases d'une brève interview du général Bigeart. Ces phrases ont pour but de présenter l'interviewé. Il faut, en peu de temps, dire beaucoup de choses avec clarté.

> « Marcel Bigeart, bonjour ! Général, Ministre, Candidat à la députation, votre carte de visite est en train de s'allonger. Mais, non content de représenter l'UDF dans les 5 circonscriptions de Meurthe et Moselle, vous apparaissez à la télévision et dans les meetings. Bref, chaque fois qu'il s'agit de défendre les couleurs giscardiennes, vous répondez « présent ». Est-ce que vous pouvez nous expliquer tout de même ce matin ce que vous faites dans cette galère électorale ? »

Ce texte est un bon exemple. Il nous montre bien les deux procédés principaux qui concourent à créer une image de marque : la déclaration et l'allusion.

La déclaration est un procédé facile à reconnaître. Il s'agit d'une information donnée explicitement à propos du signataire ou du destinataire :

- « Général, Ministre... » (Interview du général Bigeart)
- « Vous êtes grand-père, je suis grand-mère, je comprends votre point de vue »   (*Madame Soleil.*)

— « Je connais et j'aime Paris. Comment pourrait-il en être autrement puisque j'y suis né, il y a 44 ans, dans le Ve arrondissement, puisque j'y ait fait toutes mes études, puisque j'y ai exercé toutes mes fonctions. Et, si je suis Corrézien par mes ancêtres et mes racines familiales, je suis Parisien par mon enfance et ma vie d'homme... »

(Extrait d'une lettre électorale de Jacques Chirac.)

L'allusion est une assertion indirecte. Elle est présente dans la phrase, mais implicitement. Lorsqu'Yvan Levaï, s'adressant à Marcel Bigeart, lui dit : « Chaque fois qu'il s'agit de défendre les couleurs giscardiennes, vous répondez : « présent », il fait allusion à sa situation de militaire, il rappelle, de manière subtile (mais insistante) cette caractéristique. Par là, il contribue à installer (ou, ici, à renforcer) une « renommée ».

Ces constatations nous amènent à réfléchir à l'efficacité de nos propres messages. La question à nous poser ici est la suivante : « Qu'est-ce que mon texte laisse transparaître de moi et de mes interlocuteurs ? Cette image est-elle favorable aux objectifs de mon texte ? Comment ajuster cette situation par des déclarations et des allusions ? »

Examinons les deux textes qui suivent pour tenter d'en relever allusions et déclarations. À qui parle-t-on spécialement ?

a. « À la campagne, les gens ont toujours eu du bon sens et ils ont fait le Crédit Agricole à leur image. Aujourd'hui, les citadins ont besoin d'un peu d'air pur. Le Crédit Agricole leur apporte ses bonnes idées solides, sa clairvoyance, son expérience.

Pour retrouver le bon sens, vous n'avez que quelques pas à faire jusqu'au Crédit Agricole. Vous pourrez parler simplement de vos problèmes d'argent à des gens qui ont su rester simples.
Dans un monde compliqué, c'est agréable de retrouver des gens de bon sens près de chez soi ».

b. « **Changez de temps. Changez de siècle.**

En Israël, retrouvez le temps. Le beau temps. Le temps de vivre. Et le temps passé. Mettez vos pas dans ceux des croisés en visitant les vestiges d'une forteresse de l'ère byzantine, sur la petite île de Corail au large d'Élat.

Au pied de la forteresse, vous pouvez vous baigner dans une piscine naturelle. La mer Rouge est d'un bleu limpide.

À Élat, comme à Tibériade, vous pourrez faire une cure vivifiante. Et partout le soleil et les plages des 4 mers d'Israël vous attendent. Profitez de son climat ensoleillé toute l'année.

Partez hors saison pour bénéficier d'un service et d'un accueil encore plus chaleureux. »

EXERCICE RÉCAPITULATIF

En guise d'exercice récapitulatif, étudions le texte suivant. Posons-lui trois questions :

- Quels sont les effets des marques pronominales ?
- Que manifestent les indices spatio-temporels ?
- Quelle image trouve-t-on du signataire et du destinataire ? Par quels indices ?

L'homme tranquille de la BEA
vous attend à Orly.

Cet homme tranquille, sûr de lui et de ceux qu'il dirige, est un commandant de bord de la BEA.

Il est responsable de l'un des 17 vols quotidiens que la BEA met à votre disposition pour vous rendre d'Orly en Grande-Bretagne (Londres, Birmingham, Manchester ou Glasgow).

Si vous allez à Londres, le Commandant vous conduira en quarante minutes à Heathrow, l'aéroport le plus pratique pour atteindre rapidement la capitale britannique ou repartir vers n'importe quel pays du monde.

Et tranquillement, cet homme fera de vous un passager heureux.

Le Commandant de bord vous souhaite un voyage agréable.

II. ÉCRIRE, C'EST VOULOIR ÊTRE LU

Cette deuxième rubrique est fondée sur la psychologie du lecteur. Le lecteur a trois ennemis : l'effort, l'ennui, le dépaysement.

Le lecteur n'aime pas faire d'effort. C'est un adepte de la lecture sans peine. Ce qu'il veut, c'est être conduit, au fil des pages, dans la clarté et la facilité. Au moindre obstacle, il est tenté de s'arrêter et de jeter le texte aux oubliettes.

L'écrivain doit donc faire des efforts pour deux. À lui de travailler pour le lecteur, d'aller à sa rencontre, de guider sa lecture.

Ainsi, par exemple, peut-il lui faciliter la tâche, matériellement, par la disposition harmonieuse des paragraphes, par l'espacement des phrases, par la rédaction de phrases courtes et donc facilement maîtrisables.

Mais le lecteur n'aime pas non plus s'ennuyer. Il veut être étonné. Aux expressions banales, aux clichés habituels, on préfèrera une image inattendue, un rapprochement d'idées qui surprend, parfois même une audace linguistique (Éthonnez-vous, mangez du thon...).

Il ne faut pas, cependant, que l'étonnement devienne du dépaysement. Le lecteur veut se sentir, dans un texte, en terrain connu. Si, tout à coup, le vocabulaire lui devient trop

nouveau (du jargon ! dira-t-il), s'il ne retrouve pas les tournures auxquelles il est habitué, s'il se sent agressé ou
menacé, le contact avec l'auteur est perdu.

Le texte efficace parvient à concilier ces deux exigences :
intéresser sans dérouter, apprendre du neuf sans boulever-
ser.

Pour rendre compte de cette qualité (plutôt rare), les
linguistes ont choisi le terme de *transparence*.

La *transparence* d'un texte est son aptitude à se faire
adopter par le lecteur.

Nous allons passer en revue quelques caractéristiques
textuelles de la transparence. Pour découvrir les moyens à
employer en vue d'apprivoiser le lecteur.

Nous en retiendrons quatre : apprendre à *traduire* tout ce
qui est difficile, à chasser les expressions *dubitatives* et *négatives*, à être *positif*.

4. TRADUISEZ

5. TAISEZ CES DOUTES
   QUE JE NE SAURAIS ENTENDRE

6. FAITES LA PAIX, PAS LA GUERRE

7. SOYEZ POSITIFS

4. TRADUISEZ

L'écrivain efficace se comporte souvent comme un *traducteur*. Ou, dans un certain sens, comme un pédagogue. La plupart du temps, en effet, il dispose d'informations liées au témoignage direct de quelqu'un qui a vécu un événement, pratiqué une expérience, observé un phénomène. Ces informations portent généralement la trace de leur « milieu d'origine ». Elles sont « codées »... Comment reprocher au chercheur ou au technicien de s'exprimer — au moins dans un premier temps — dans ses mots techniques et abstraits ?

Cependant, le moment de la *communication* venu, il lui reviendra de faire un effort de *traduction*. Pour passer du langage technique au langage usuel, du langage abstrait au langage concret.

Une information n'est souvent qu'une matière brute, encore non traitée, peut-être même encore informe. Nous risquons d'être tentés de nous contenter de cet état initial, naturel, des informations que nous voulons transmettre. Nous y aurons gagné en facilité mais nous y aurons perdu en efficacité : peu de gens nous aurons compris.

Certains spécialistes saisiront peut-être ce qu'il faut entendre par « la possession consciente d'un quantum de notions motivées » mais le public « normal » s'y retrouvera davantage si on lui parle « d'acquérir, sans être dupe, un bagage de solides connaissances ».

Bien sûr, traduire, c'est trahir. En changeant les mots, on change, effectivement, ce qui est dit. À chacun de mesurer : jusqu'où aller pour gagner en lisibilité ce qu'on perdra (peut-être) en technicité.

Cet effort de traduction peut prendre corps de multiples manières. Nous allons citer ici quatre d'entre elles : donner des *définitions*, faire des *comparaisons*, employer des *métaphores*, adapter le *vocabulaire* à celui du public visé.

Ainsi, il ne faut pas craindre de donner à ses lecteurs la définition d'un terme abstrait ou scientifique ou plutôt rare. Cela contribuera à la transparence du texte. Certes, ces précisions ne doivent pas prendre une tournure didactique : l'emploi des tirets ou d'une petite locution placée entre deux virgules fera souvent l'affaire. Par exemple :

- « Il ne savait pas encore qu'un nouveau matin efface les *phantasmes* de la nuit, ces *visions imaginaires* qui montent en nous, ... »
- « Le médecin n'eut d'autres moyens que l'*intubation*, c'est-à-dire l'*introduction d'un tube jusqu'à l'estomac* pour le vider avec une pompe aspirante ».
- « Il demeurait à l'écart, les yeux exorbités — ils semblaient lui sortir de la tête — le cœur battant et les mains immobiles ».

Un second procédé consistera à expliquer une description plutôt abstraite par une comparaison bien concrète. Exemple :

- « L'actuelle intervention de la banque nationale sur le marché monétaire peut être *comparée à une transfusion sanguine* pour le franc belge. »

- « Le refus par le gouvernement de la nouvelle proposition de loi supprimant la peine de mort *équivaut à un coup de frein* face à la politique de progrès des dernières années. »

L'emploi des métaphores inscrit davantage encore l'*image* au sein du texte. Examinons, par exemple. cette métaphore employée par Giscard lors de son discours dît « du bon choix » :

> « Le jour des élections, vous ne serez pas de simples passagers qui peuvent se contenter de critiquer le chauffeur. Mais vous serez des conducteurs qui peuvent, selon le geste qu'ils feront, envoyer la voiture dans le fossé ou la maintenir sur la ligne droite. »

À quoi F. Mitterrand répondit, lors du fameux débat télévisé de mai 1981 :

> « L'action de M. Giscard d'Estaing, c'est un peu celle d'un conducteur qui vient de verser sa voiture dans le fossé et qui viendrait me demander de repasser mon permis de conduire. »

L'image simple et transparente de la conduite de l'automobile est ici utilisée pour frapper la mémoire des auditeurs. Nul doute que son efficacité soit plus grande qu'une phrase sur l'importance du bulletin de vote et la responsabilité civique. Observons encore la *force* de l'image : elle *insinue*. Dans le premier exemple, elle présuppose qu'il n'y a *que* deux choix possibles, dont l'un est bon et l'autre mauvais. L'auditeur se méfierait sans doute d'une telle présentation des choses si elle était faite en termes politiques rationnels. Il risque de se laisser « impressionner » par l'image, souvent active au niveau irrationnel.

L'automobile fournit régulièrement de la matière aux amateurs de métaphores. Passons sur les multiples « feu vert à... » qui emplissent la une des journaux. L'écrivain F.-L. Bruckberger, dans ses mémoires (*Tu finiras sur l'échafaud*, Flammarion, 1978) écrivait :

> « Après si longtemps, quand je *regarde dans le rétroviseur s'enfuir le paysage de ma jeunesse*, et ce grand garçon mince courir à grandes foulées sur le chemin, ce qui me frappe, c'est sa solitude ».

L'image, quelques mois plus tard était reprise par l'ex-Président de la république française qui déclarait, dans une allocution : « on ne gouverne pas *le regard fixé sur le rétroviseur* ».

Citons encore cette image de François Mitterrand, image transparente s'il en est : « Le levain de la gauche ne peut germer dans l'épaisse farine de la droite ».

Enfin, le dernier procédé que nous voudrions citer concerne l'utilisation du *vocabulaire*. Il convient de faire appel ici à ce que les linguistes nomment les *registres de langue*. Il s'agit de différents champs du langage qui se trouvent liés à certains contextes sociaux ou culturels. Ainsi, on dit que le langage comporte un champ (une zone...) « familier », un champ « académique », un champ trivial, un champ soigné et bien d'autres. Ces champs se croisent et sont à l'œuvre, pour chacun de nous, selon les circonstances dans lesquelles nous nous trouvons. Chacun de nous peut aussi bien employer le mot *bouquin* que le mot *livre* ou le mot *ouvrage*. Cependant, le choix d'un de ces mots peut dépendre du contexte dans lequel on se trouve.

Bien *traduire* consistera dès lors à adapter le vocabulaire général de son texte... au contexte dans lequel on se trouve en écrivant. On n'écrit pas une lettre comme on écrit un rapport technique. On n'écrit pas dans *France-Soir* comme on écrit dans *Le Monde*.

En résumé, il est toujours intéressant, pour l'auteur d'un texte, d'avoir présent à l'esprit, au moment d'écrire, la question suivante : « ne suis-je pas trop resté dans mon langage à moi, dans mes mots à moi, bien familiers mais peut-être pas assez assimilés par les autres ? Ai-je bien traduit ce qui serait trop abstrait, trop formel, trop technique ? Ai-je trouvé l'*image* qui rendra compte, très concrètement, du problème que je veux aborder ? »

Pour terminer, exerçons-nous à chercher les procédés traducteurs utilisés dans le texte suivant. Il s'agit d'un extrait d'une interview du professeur Schwartzenberg. Il parle — avec beaucoup de transparence — de l'acharnement thérapeutique.

> **Robert Serrou.** Après Franco et Boumedienne, c'est maintenant au tour du maréchal Tito à voir son agonie indéfiniment prolongée. Beaucoup s'imaginent que c'est pour des raisons politiques que les médecins s'obstinent à le maintenir en vie, si l'on peut dire.
>
> **Léon Schwartzenberg.** Il n'est pas sûr que, dans la cas de ces trois présidents, et indépendamment d'une raison d'état qui fait que sont mises à leur disposition toutes les possibilités techniques et médicales contemporaines, cela ne devienne pas, à un certain moment, une sorte de compétition entre médecins — j'allais dire d'entraînement sportif. Souvenez-vous de ce qui s'est passé pour Franco, des multiples interventions chirurgicales successives qu'on lui a fait subir. Dans le cas de Tito, on a l'impression d'assister à la réparation d'un bateau qui prend l'eau de toutes parts. C'est très triste, parce que les médecins finissent par ne plus se rendre compte qu'ils ont une personne humaine en

face d'eux, mais un assemblage d'organes. On leur a dit de traiter Tito ; alors ils continuent. J'allais dire : ils s'amusent à gagner un jour de plus et à tenter de battre des records de durée. C'est une sorte de sport médical horrible, qui consiste à le faire tenir plus longtemps que les autres. Mais il se peut aussi que certains médecins se disent que s'ils le font tenir un jour ou deux de plus, il retrouvera la conscience. Je préfère penser ainsi, même si cela me paraît illusoire et faux.

R.S. Comment jugez-vous ces médecins ?

L.S. Je les juge très mal pour un motif simple. C'est que voir un homme qui est reconnu comme ayant sauvé son peuple, comme un héros, et qui va finir par donner de lui l'image d'une pauvre chose diminuée, sans jambe, sans conscience, ponctionnée tous les jours au niveau de l'abdomen parce qu'on lui retire du sang, reperfusée tous les jours dans la veine parce qu'on lui en redonne, avec un cercueil préparé depuis déjà trois semaines et qui l'attend... Cette image est assez déplorable.

R.S. Dans quelle mesure la raison d'état peut-elle conduire les médecins à prolonger la vie ?

L.S. Un médecin peut toujours arriver à y retrouver son compte en se disant qu'il a prêté serment de prolonger la vie à tout prix et que cette vie en est tout de même une, même si elle est amoindrie, déchue.

R.S. Mais a-t-on le droit de prolonger la vie de quelqu'un qui apparemment n'a plus aucune chance ?

L.S. Il faut tenir compte de deux éléments. Le premier consiste à se demander ceci : si par hasard il retrouvait la conscience en quel état se retrouverait-il : grabataire ? Fortement diminué ? Déchu ? Avili ? Ce premier élément est grave, mais au fond de soi chacun de nous sait bien qu'il ne retrouvera pas sa conscience et qu'il finira par mourir complètement.

Le deuxième élément, c'est que rien ne nous dit — et c'est là le plus tragique — qu'à l'heure actuelle, un homme en son état, même dans l'impossibilité de s'exprimer, ne ressente pas quelque chose et ne se rende pas compte de ce qui se passe autour de lui, un peu comme un noyé, ou un personnage au-dessous du niveau de la mer qui verrait ce qui se passe au-dessus mais ne pourrait pas s'exprimer. Il y eut des témoignages de personnes, après un semi coma dont elles sont sorties, qui ont pu raconter tout ce qui s'était passé autour d'elles et qui disaient : « J'étais tellement épuisée, fatiguée, que rien que lever un bras, c'était soulever une tonne, rien qu'ouvrir la bouche, c'était un effort tout à fait considérable ». Sur ce plan là, c'est une cruauté effroyable et extraordinairement répréhensible.

(*Paris-Match* du 12.4.1980.)

5. TAISEZ CES DOUTES
QUE JE NE SAURAIS ENTENDRE

Cette petite rubrique ne prétend pas condamner l'attitude bien humaine et bien salutaire qu'est l'*action de douter*. Nous pensons, bien au contraire que douter est (souvent) un signe d'intelligence et, en tout cas, de réflexion.

Mais il ne faut pas mélanger les genres. Douter est une chose. Communiquer efficacement avec ses semblables en est une autre. Et l'étalement de ses doutes non seulement ne sert à rien mais perturbe la communication. À quoi peut servir la réponse à une question qui commencerait par les mots : « J'en doute, mais je pense que... »

Cette constatation peut être étendue. Tout en veillant à y déposer les nuances indispensables, l'auteur d'un texte, s'il vise à l'efficacité, veillera à en supprimer les expressions dubitatives.

Nos adversaires, en ce domaine, sont nos tics de langage. Dans nos conversations quotidiennes, nos propos sont émaillés de locutions comme : « j'ai plutôt l'impression que... », « Il se pourrait que... mais... », « En principe, il me semble que... », etc. Ces tics sont le reflet de nos hésitations bien légitimes. Ils sont à bannir lorsque nous avons à faire le point clairement et soigneusement pour des interlocuteurs. C'est vrai pour les écrits comme pour les interventions dans des débats ou des échanges oraux. Les marques dubitatives ne pourraient qu'effacer l'impact de ce qu'on veut signifier. De plus, elles risquent d'insécuriser l'auditeur. Au lieu de nous le concilier, de rapprocher de lui notre discours nous ne ferons se lever en lui qu'obscurité et brouillard. Le texte dubitatif est un texte impuissant.

À la limite, mieux vaut dire : « Je ne puis certainement pas vous assurer une réponse aujourd'hui mais je vais m'informer et je suis persuadé que demain vous aurez satisfaction » plutôt que : « je ne suis pas sûr de ma réponse aujourd'hui mais il se pourrait bien que cela s'éclaire demain ». En fait, c'est la même situation qui a été évoquée dans les deux cas. Mais, la première fois, l'interlocuteur aura reçu un message clair : il sait précisément à quoi s'en tenir. Dans le deuxième cas, il reste démuni.

On peut apprendre à *ne pas étaler ses doutes*. D'une part, en donnant à son texte une allure d'évidence. On montre alors que ce que l'on dit va de soi, que nul ne doit en douter. On emploie pour cela, tout simplement, des formules comme *évidemment, certainement, sans (aucun) doute*, etc. Une bonne illustration de l'emploi de ces locutions adverbiales est livrée par le texte déjà cité à la page 23. L'effet d'évidence y apparaît d'autant plus nettement que ces locutions sont prises dans un raisonnement logique :

> « Vous éprouvez *sans doute* la satisfaction de vivre...
> Vous aspirez *comme il est normal,* à faire la pause...
> Vous pressentez *à juste titre,* que les arts peuvent...
> Vous avez raison... »

On peut observer la force croissante de ces marques d'évidence qui conduisent à la dernière phrase : *vous avez raison.* Le lecteur est ainsi pris par la main et conduit à la conclusion logique qu'il peut faire sienne. Le texte lui est alors vraiment transparent.

D'autre part, la chasse aux expressions dubitatives implique le maniement — par compensation — d'une série d'expressions affirmatives :

- « Je suis persuadé que... »
- « Soyez assuré que... »
- « Il y a un premier point que nous devons comprendre... »
- « Nous devons nous rendre à l'évidence que... »
  etc.

COMPARONS

● En principe, les travaux devraient commencer dans un mois.

● Dans l'état actuel des informations, nous pouvons annoncer que les travaux commenceront dans un mois.

● Je crois que vous avez raison.

● Je suis convaincu que vous avez raison.

● J'aurais bien l'impression que le moment de prendre de nouvelles initiatives est venu.

● Je suis certain que le moment est venu de prendre des initiatives nouvelles.

● Le pétrole semble bien être la cause actuelle de la crise économique.

● Le pétrole, comme vous l'observez tous, est évidemment la cause actuelle de la crise économique.

Pour surveiller la bonne communication de nos discours et de nos textes, posons-nous donc parfois la question :

« Est-ce que je privilégie bien ce que je puis affirmer ? Est-ce que j'écarte bien ce qui n'est que doute et impression ? ».

Paraphrasant le slogan publicitaire d'une maison d'édition, nous pourrions résumer ce conseil en disant : si votre langage est sûr, on sera sûr de vous.

Terminons, une fois encore par un petit exercice. Il s'agit d'examiner le texte d'une interview écrite... et donc soigneusement composée au niveau de l'efficacité de la communication. L'hebdomadaire *Paris-Match* interroge Madame Giscard d'Estaing à propos du tabac. Remarquons combien ce texte — sous l'effet de techniciens, n'en doutons pas, — fait triompher l'affirmation.

ANNE-AYMONE
PART EN GUERRE CONTRE
LE TABAC AVEC UNE
FLEUR

— Pourquoi avez-vous accepté de participer à cette campagne d'une « journée sans tabac » ?

— Je suis tout à fait contre le tabac et je pense donc que c'est une excellente initiative.

— Vous pensez qu'il est efficace de demander de « porter une fleur » pour montrer que l'on est anti-tabac ?

— Il n'y a pas de petits moyens. Pour ce genre de cause, il faut les essayer tous. Et le choix de « porter une fleur » me paraît bien adapté à une époque où domine le goût pour l'écologie, le retour à la nature.

— Vous n'avez jamais fumé ?

— Jamais. J'ai essayé à 15 ans, j'ai trouvé que c'était extrêmement mauvais et je n'ai pas recommencé. Mon environnement familial y a sans doute contribué. Mon père ne fumait pas du tout, ma mère fumait une cigarette de temps en temps, une fois par semaine, environ. Ce n'était pas du tabagisme !

— **C'est donc par goût que vous ne fumez pas ?**
— Par goût mais aussi par conviction. L'habitude de fumer est un véritable esclavage et je trouve tout à fait inutile de se soumettre à cet esclavage qui est aussi lié à une intoxication de l'organisme. Le tabac constitue tout un ensemble répréhensible. Alors, puisqu'on peut s'en passer, qu'on le fasse.

— **Et vous avez convaincu vos quatre enfants de la nocivité du tabac ?**
— Pas totalement. Les deux plus jeunes ne fument pas du tout, mais les deux aînés un peu. Peut-être à cause de leur univers professionnel. Aussi peu que cela soit, je le leur reproche et j'essaye de les en dissuader. Pourtant, l'ambiance à la maison ne les y poussait guère puisque mon mari ne fume pas du tout non plus. À ma connaissance, il n'a d'ailleurs jamais fumé.

— **Qu'est-ce qui pousse les jeunes à fumer, à votre avis ?**
— C'est sans doute une question d'entraînement mutuel. Ainsi, beaucoup de jeunes commencent à fumer à l'armée car ils disposent facilement et à bon marché de paquets de cigarettes. L'exemple familial joue aussi certainement et puis il y a ceux qui fument par snobisme ou pour se donner une contenance.

— **Croyez-vous qu'il faille être plus répressif, interdire de fumer dans les restaurants ou tout lieu public ?**
— On ne peut pas tout interdire. Il faut laisser aux gens un espace de liberté. Il vaudrait mieux pouvoir les éduquer, leur apprendre à ne pas gêner leur prochain. En revanche, on pourrait accentuer l'effort éducatif, à l'armée justement, mais surtout dans les lycées où l'on ne devrait tout de même pas permettre de fumer dans les salles de cours.

— **Vous trouvez que le tabagisme est le pire des maux ?**

— L'alcoolisme est certainement pire encore mais le tabagisme est plus répandu et plus insidieux.

— **Êtes-vous gênée par la fumée des autres ? Leur demandez-vous de ne pas fumer devant vous ?**

— Ce que je déteste le plus, c'est entrer dans une pièce où l'on a fumé. L'odeur de tabac froid m'est désagréable. Je n'aime pas non plus qu'on me souffle la fumée dans la figure mais les gens avec lesquels je travaille ne fument pas, ou alors ils s'abstiennent en ma présence. À l'Élysée, vous savez que le Président a demandé aux ministres et à ses collaborateurs de ne pas fumer pendant les réunions et, pendant les dîners, la même règle est respectée spontanément. Il n'y a guère que quelques personnes qui sortent leurs cigarettes au café, et encore, timidement...

— **Estimez-vous que cela fait partie de vos fonctions d'épouse du président de la République de patronner des campagnes pour des bonnes causes ?**

— Je n'en fais pas une question de principe. Diverses personnes ont été sollicitées pour participer à cette campagne. Pourquoi pas moi puisque j'y crois ?

(Propos recueillis par Liliane GALLIFET,
Paris-Match du 12.4.1980.)

6. FAITES LA PAIX, PAS LA GUERRE

Pourquoi ce conseil aux allures moralisatrices et si peu linguistiques ? C'est que ces deux domaines sont conciliables... Le texte efficace, nous l'avons vu, va à la rencontre du lecteur pour lui faciliter la saisie d'une information. L'objectif est d'aller vers le lecteur pour se le « gagner ». Cela s'obtient rarement hors d'un contexte et d'une présentation pacifique. Efficacité oblige : il faut abandonner toute polémique et toute agressivité.

Dans certains cas, il est vrai, une certaine efficacité oratoire va de pair avec le combat verbal. Au tribunal, par exemple, ou en période électorale. Remarquons que cette « violence » s'adresse alors à un adversaire précis mais *pas* au public qu'on veut convaincre. À lui sont réservées la douceur et la paix.

Ce souci de paix va évidemment avoir ses répercussions dans l'utilisation du langage. Il ne faudra pas prendre l'interlocuteur « de front », l'interpeller avec éclat. On rencontrera rarement une publicité pointant un doigt vengeur vers vous en disant : « Vous avez tort de ne pas tout faire pour maigrir ». On trouvera plutôt : « Il existe en France 137 clubs regroupant des hommes et des femmes qui ont décidé ensemble de maigrir, en améliorant tout simplement leurs habitudes alimentaires. Sans médicament. Sans gymnastique. Et sans avoir faim. Vous aussi, comme eux, vous pouvez maigrir et ne plus reprendre de poids. »

L'art de convaincre est ici plein de compréhension, de sollicitude et d'encouragement. Au niveau linguistique, remarquons quelques détails. D'abord, l'absence d'injonctions du type « Il faut », « Vous devez », « Il est interdit ». À la place, le texte comporte un « *Vous pouvez* maigrir ». Ensuite, les marques d'opposition (*mais, au contraire, non,* etc.) brillent par leur absence. Elles sont compensées par un *et* (*Et* sans avoir faim) qui est une marque de *liaison*. Les seules notations d'exclusion portent sur « l'adversaire » (*ne plus* reprendre de poids) ou, plus légèrement, sur ce dont le lecteur a peur (*Sans* médicament, *Sans* gymnastique, *Sans* avoir faim).

Certaines études linguistiques ont mis l'accent sur le rôle des *négations* dans un texte. On observe que l'*abondance* de marques négatives — surtout rapportées à des verbes conjugués à la deuxième personne — donne au texte une allure d'ensemble plutôt agressive. Cela peut évidemment s'expliquer par le fait que toute négation est le *rejet* de quelque chose. Et un texte qui passerait son temps à rejeter — surtout ce qui concerne l'interlocuteur — a peu de chances de se le concilier. Bien entendu, l'usage de négations sera toujours indispensable. Ici encore, l'équilibre est roi.

La question à se poser est la suivante : « Mon texte est-il *pacifique* vis-à-vis du lecteur ? N'y-a-t-il pas trop d'injonctions, de marques d'opposition ou de négation ? Ne puis-je tourner de manière affirmative ce que je suis tenté de dire négativement ? »

COMPARONS

- Ne voulez-vous pas ?
- Il faut quand même que vous compreniez que...
- On ne vous voit pas souvent.
- N'êtes-vous pas intéressé ?
- Il n'y a rien à attendre de votre solution.

- Voulez-vous ?
- Vous pouvez comprendre que...
- On vous voit rarement.
- Êtes-vous intéressé ?
- Votre solution nous laisse les mains vides.

Examinons la « stratégie » des textes publicitaires suivants :

- **Vous plaire, ça nous plaît**

- Cette année, à Pâques, il se pourrait bien que la Fortune vous fasse des gâteries. Mais ne comptez pas trop sur les cloches. Achetez plutôt un billet de la Loterie Nationale.

- Libre de votre temps, de votre route, loin de tout, vous voilà marchant ou pédalant à travers la lande, sur des sentiers en pleine forêt.
  Pourtant vous explorez la Hollande. Simplement. Chemin faisant, vous vous arrêtez faire le tour d'un dolmen ou visiter une église abandonnée.

Ici tout est facile, vous louez une bicyclette, vous avez vos itinéraires dans la poche... et l'aventure est à vous. Demain, vous galoperez dans les dunes, vous participerez à une régate ou vous pêcherez en haute mer. Ici l'activité sportive fait partie de la vie quotidienne. Été comme hiver. Et les Hollandais ne sont jamais à court d'idées pour bien l'organiser. Pour ceux qui ne regorgent pas d'énergie, il y a des kilomètres de plages de sable fin en Hollande... pour le farniente.

- « **Pour devenir votre compagnie aérienne, nous nous devons d'être meilleurs** ».

- *Louez votre voiture chez Europcar.*
Vous apprécierez notre Super Service. En Europe, en Afrique, au Moyen-Orient, partout Europcar vous offre des voitures et une organisation qui fonctionnent bien.

7. SOYEZ POSITIF

Cette rubrique sera très courte. Elle n'appelle pas de longs développements. Elle veut seulement attirer l'attention sur la dimension psychologique de tout échange verbal.

Partir à la quête et à la conquête du lecteur, en lui parlant, c'est, finalement, opérer, par la grâce des mots, une rencontre humaine. L'objectif du texte efficace est de permettre une alliance. Et rendre cette alliance possible implique, de la part de l'auteur, une attitude psychologique particulière vis-à-vis de son lecteur ou de son auditeur. Même s'il ne les connaît pas. S'il veut se les concilier, il doit d'abord leur être favorable. Il doit avoir à leur égard une attitude *positive*. Cette attitude, le lecteur la perçoit toujours. Et il y est sensible.

Soyez positif ! Ce conseil recouvre pour nous, au niveau textuel, une triple tonalité. L'échange verbal efficace a un ton direct, encourageant et, au sens littéral du terme, compatissant.

Le ton direct : c'est au niveau de l'échange oral qu'il est peut-être ressenti le plus. Il s'agit de manifester que ce qu'on dit est en accord avec ce qu'on pense. Une communication qui ne serait pas marquée par la franchise reste souvent inefficace. Le lecteur ou l'auditeur en perçoit le côté factice ou artificiel et il garde ses distances. Certes, cette franchise, il faut l'extérioriser, par exemple en employant des expressions comme *vraiment, à franchement parler,* etc.

Le ton encourageant : prendre la plume ou la parole pour agresser, nous l'avons vu, ne sert à rien. Adopter une attitude encourageante pour mettre en valeur le côté positif aura un effet bien différent. Le texte engendrera un climat de sécurité et l'interlocuteur constatera l'inutilité de se défendre. Il sera plus ouvert à l'information qui lui est proposée. Autant que possible, l'écrivain ou l'orateur empruntera donc un vocabulaire « positif » capable de valoriser l'interlocuteur et de le stimuler. Les mots à éviter sont — comme disent certains linguistes — les mots « noirs » comme *souci, ennui, danger* (à moins de les rejeter : *plus de* soucis, *finis* les problèmes) et les expressions « barbelées » (c'est dangereux, vous allez à l'échec, prudence, prudence !, etc.).

Le ton compatissant n'a rien à voir avec l'attitude paternaliste. Le verbe compatir est à prendre ici dans son sens étymologique qui signifie « ressentir avec ». L'écrivain compatissant est celui qui peut arriver à ressentir lui-même ce que pourraient ressentir ses lecteurs, à se mettre, en quelque sorte, à leur place pour mieux composer le message qu'il veut leur transmettre.

Être direct, encourageant et compatissant contribuera à la transparence du message. Et il n'y a pas d'efficacité sans transparence.

Cherchons, dans le texte suivant, les indices de cet effort pour adopter le point de vue de l'autre.

JEUNES UNIVERSITAIRES

chez nous l'ambition n'est pas un défaut.
Mais une condition d'engagement.

Car GB-INNO-BM a fondé tout son succès sur la jeunesse, le dynamisme et la puissance de travail de ses cadres. Troisième grande entreprise belge, réalisant un chiffre d'affaires de plus de 80 milliards de FB, disposant de 200 points de vente dans tout le pays, avec une gamme impressionnante de 55 hypermarchés, de 146 supermarchés, d'un grand nombre de Brico-Centers, de GB Home Stocks, de 83 restaurants, ... nous pouvons être fiers de notre fulgurante progression.

Cependant, l'ambition est notre philosophie. Et, c'est pourquoi il nous faut des énergies, des idées nouvelles. Il nous faut des jeunes universitaires capables de tout apprendre, pour pouvoir accéder aux échelons les plus élevés. Des jeunes universitaires que nous allons former « sur le tas ». Mais à qui nous ne devrons pas expliquer qu'une entreprise comme la nôtre repose sur une solide motivation commerciale, sur l'enthousiasme et le souci de se dépasser.

Qu'ils soient licenciés en sciences commerciales, sociales ou financières, licenciés en droit ou autres... excellent ! Cependant, le premier diplôme auquel nous attacherons de l'importance sera celui de leur personnalité. Et de leur tempérament de leader.

Leur formation dans l'entreprise ? Entre 3 et 5 ans. Leur bagage linguistique ? Bien sûr, le bilinguisme est essentiel. Car nos activités s'étendent à toutes les régions du pays. Vous avez l'ambition qu'il faut pour avancer et la volonté d'apprendre ?

Vous voulez rentabiliser votre diplôme et vos qualités ? Alors, envoyez votre candidature manuscrite accompagnée d'un curriculum vitae mentionnant vos diplômes, votre âge et une éventuelle notice autobiographique à Monsieur...

Nous sommes aussi ambitieux que vous.

EXERCICE RÉCAPITULATIF

En guise d'exercice récapitulatif, étudions le texte suivant. Posons lui quatre questions :

- quels sont les procédés traducteurs employés dans le texte ?
- par quels moyens le texte prend-il une allure affirmative ?
- quels sont les signes d'une volonté de plaire au lecteur, de l'amadouer et de se le concilier ?
- y a-t-il des traces de tonalités positives : vocabulaire « gai » « tranquillisant », etc. ?

RALLYES-CARAVANING POUR DES RANDONNÉES BOHÉMIENNES

Le caravaning séduit de plus en plus les Français. Longtemps après les « romano », les « bohémiens », et quelques années après les Américains, ils découvrent le plaisir de vagabonder, librement, au gré de leur fantaisie, en famille, sur « la route qui va, qui va et qui n'en finit pas ». Plus de souci de réservation de chambres d'hôtels, de tables de restaurant introuvables, le plus souvent, pendant la grande saison des week-ends ou des vacances. Les caravanes, ces roulottes d'aujourd'hui, sont devenues synonyme d'économies et de liberté. Et devant cet engouement, certains organismes ou clubs de caravanes ont eu l'idée de créer des rallyes. C'est une bonne occasion pour se rencontrer entre amateurs de camping à quatre roues. Et les réunions sont plutôt bon enfant.

Les responsables du club choisissent les circuits. Et un train de caravanes est organisé. On visite les richesses touristiques de la région, le soir on organise bals, compétitions sportives, projections de films, etc. Mais les caravaniers sortent aussi de l'hexagone. Des rallyes sont organisés dans toute l'Europe. Les équipages se rassemblent en une ville choisie comme point de concentration puis franchissent les frontières en convoi, guidés par les responsables qui ont tout organisé. Dans certains grands rallyes internationaux, il n'est pas rare de voir plusieurs milliers de caravanes venues du monde entier.

La formule nous vient des États-Unis.
Elle permet des vacances bon enfant

(*Paris-Match* du 12-4-1980.)

III. ÉCRIRE, C'EST INFLUENCER

« J'étais suspendu à ses lèvres ! » Cette expression populaire est lourde de sens. Il y a des paroles qui captivent. Qui rendent captifs. On ne peut s'en détacher. On y est, littéralement, suspendu. On dit alors qu'il y a du suspens...

Évidemment, le suspens dépend de ce qui est raconté. Il y a des histoires banales et inutiles. Il n'y a que trop de propos ennuyeux.

Cependant, l'art de captiver son auditoire dépend tout autant — même un peu plus — de la *manière* de raconter.

Nous nous efforcerons, dans cette rubrique, de présenter quatre moyens de captiver le lecteur.

- l'utilisation d'expressions « performatives », c'est-à-dire d'expressions qui, au lieu de décrire et de constater, *font* quelque chose ;
- l'emploi des temps de l'action : le présent, le futur et le passé composé ;
- l'usage des tournures interrogatives et exclamatives ;
- l'invention de formules-chocs capables de mobiliser le lecteur.

8. SOYEZ PERFORMANTS

Le langage est plein de ressources que nous ne soupçonnons même pas. Lorsque nous parlons du langage, nous employons volontiers des mots comme *expression, description, explication.* Comme si le langage n'était qu'un véhicule de notre pensée ou de notre volonté. Or, le langage est *action.* Et cela se manifeste, de manière criante, dans certains cas particuliers.

Allons immédiatement vers un exemple. Lorsque, devant une assemblée militaire, un officier, désignant un soldat, lui adresse ces quelques mots : « Je vous nomme caporal », il ne décrit rien, il ne constate rien, il n'exprime rien, il FAIT. Dire, c'est faire.

Si nous cherchons bien, les exemples vont abonder.
- Je vous promets de venir demain.
- Je jure de dire la vérité.
- Félicitations !
- La séance est ouverte !
- Je lègue tous mes biens à mon voisin du dessus.
- À partir du moment où je vous parle, tous les exilés sont autorisés à rentrer dans leur pays.
- Je vous déclare unis par les liens du mariage.

Tous ces exemples sont des messages qui, prononcés dans un certain contexte, *réalisent* ce qu'ils disent.

Ils nous montrent la force du langage.

Ils nous invitent aussi à regarder les mots de plus près. Si tous n'ont pas la même vertu opératoire que les exemples cités, ils sont néanmoins dotés d'un véritable pouvoir agissant. Nous y sommes trop souvent fermés.

Considérons, par exemple, la phrase suivante : « Si vous ne payez pas vos dettes, je vous dénonce à la justice ». Cette phrase contient à la fois un avertissement et une promesse. Une force s'exerce sur l'interlocuteur : une menace est faite. C'est une première action de la phrase. Une seconde action lui est associée : la phrase engendre une attitude chez le destinataire, soit la peur, soit la colère, soit le repentir...

Cette phrase n'a pas seulement un « contenu », elle ne se contente pas de transmettre une information, elle agit. Elle *opère*.

Puisque notre tâche est de nous donner les moyens d'une grande efficacité de parole, nous ne pouvons qu'être intéressés par cette dimension opératoire du ·langage. Pour l'utiliser plus consciemment. Pour mettre toutes les chances de notre côté au moment de rejoindre notre interlocuteur par la parole.

Remarquons que tout acte de parole, quel qu'il soit, toute adresse faite à autrui exerce sur lui une force qui le contraint à s'arrêter, à donner de son temps. Le texte que l'on transmet porte ce désir : mettre le lecteur présumé en situation d'écoute et de disponibilité.

Passons en revue quelques-unes des autres forces exercées par le langage.

Un texte peut revêtir une valeur supplémentaire en vertu d'une autorité qui y est attachée. Ce peut être la personnalité de l'auteur (qui aura soin de décliner ses titres ou ses pouvoirs) ou la référence à une autorité extérieure. Un des procédés employés pour conférer cette force à un texte est la référence ou la citation. Si quelqu'un dit : « *Comme le démontre la recherche démographique moderne,* la France vieillit », il tente de conférer à sa phrase une plus grande force en utilisant une référence scientifique.

Or, le lecteur (comme l'enfant vis-à-vis de ses parents) ne sera guère tenté par une vérification personnelle de ces références mais plutôt par un acte de confiance... L'autorité du texte l'influencera... le rendra « captif ».

Un autre procédé est l'usage de verbes que les linguistes qualifient de « promissifs ». Par exemple, *je m'engage à, nous vous promettons de, ...* Ces verbes amènent l'interlocuteur à reconnaître un lien d'obligation instauré par le signataire à leur égard. Cela augmente la valeur « percutante » du texte.

Toute une série de verbes influencent directement l'interlocuteur : féliciter, blâmer, remercier, mettre au défi, etc.

Concrètement, le conseil proposé ici est le suivant : insérer dans son texte, de la manière la plus opportune évidemment, l'un ou l'autre de ces verbes d'action. Afin de rendre le message plus « performant » et d'atteindre plus fortement le lecteur.

Un des maîtres du langage d'action fut le général de Gaulle. Examinons le texte de l'allocution qu'il prononça à la radio en mai 1968. Essayons d'y repérer les verbes et les formules performantes. Cherchons-y la trace des verbes promissifs. Tentons d'en mesurer l'efficacité sur le lecteur.

Françaises, Français,

Étant le détenteur de la légimité nationale et républicaine, j'ai envisagé depuis vingt-quatre heures toutes les éventualités sans exception qui me permettraient de la maintenir.

J'ai pris mes résolutions. Dans les circonstances présentes, je ne me retirerai pas. J'ai un mandat du peuple, je le remplirai. Je ne changerai pas le premier ministre, dont la valeur, la solidité, la capacité, méritent l'hommage de tous. Il me proposera les changements qui lui paraîtront utiles dans la composition du gouvernement. Je dissous aujourd'hui l'Assemblée nationale. J'ai proposé au pays un référendum qui donnait aux citoyens l'occasion de prescrire une réforme profonde de notre économie et de notre université, et en même temps de dire s'ils me gardaient leur confiance ou non, par la seule voie acceptable, celle de la démocratie.

Je constate que la situation actuelle empêche matériellement qu'il y soit procédé. C'est pourquoi j'en diffère la date. Quant aux élections législatives, elles auront lieu dans les délais prévus par la Constitution, à moins qu'on entende bâillonner le peuple français tout entier en l'empêchant de s'exprimer en même temps qu'on l'empêche de vivre, par les mêmes moyens qu'on empêche les étudiants d'étudier, les enseignants d'enseigner, les travailleurs de travailler.

Ces moyens, ce sont l'intimidation, l'intoxication et la tyrannie exercées par des groupes organisés de longue main en conséquence et par un parti qui est une entreprise totalitaire, même s'il a déjà des rivaux à cet égard. Si donc cette situation de force se maintient, je devrai, pour maintenir la République, prendre, conformément à la Constitution, d'autres voies que le scrutin immédiat du pays.

En tout cas, partout et tout de suite, il faut que s'organise l'action civique. Cela doit se faire pour aider le gouvernement d'abord puis localement les préfets devenus ou redevenus commissaires de la République dans leur tâche qui consiste à assurer autant que possible l'existence de la population. À tous moments et en tous lieux, la France en effet est menacée de dictature. On veut la contraindre à se résigner à un pouvoir qui s'imposerait dans le désespoir national.

Lequel pouvoir serait alors, évidemment, essentiellement celui du vainqueur, c'est-à-dire celui du communisme totalitaire. Naturellement, on le colorerait, pour commencer, d'une apparence trompeuse en utilisant l'ambition et la haine des politiciens au rancart. Après quoi ces personnages ne pèseraient pas plus que leur poids qui ne serait pas lourd. Eh bien ! non, la République n'abdiquera pas. Le peuple se ressaisira. Le progrès, l'indépendance et la paix l'emporteront avec la liberté. Vive la République ! Vive la France !

9. COMMENTEZ,
NE FAITES PAS L'HISTOIRE

Nous allons examiner maintenant comment, par le choix des *temps verbaux,* le locuteur peut influencer son interlocuteur en *suscitant* une certaine écoute, voire même un certain type d'accueil.

En général, les linguistes distinguent deux manières de parler, deux attitudes de l'écrivain ou de l'orateur : celui qui parle « à la manière » de l'*historien* et celui qui parle « à la manière » du commentateur (de radio ou de télévision).

Parler à la manière de l'historien, c'est bien respecter la chronologie des faits et, en tout cas, bien distinguer *le moment où s'est effectué ce dont on parle* et... *le moment où on parle :*

> « Hier, dès que mon frère *fut rentré,* il se *mit à pleuvoir* plus fort qu'il ne pleut aujourd'hui. »

Parler à la manière du commentateur, c'est faire *comme si* les faits pouvaient être *rapprochés* du moment où on parle :

> « Nous *sommes* en 1893... »

Ainsi, pour parler ou pour écrire, pour rapporter des faits, donner des informations ou raconter une histoire, nous avons en fait, le choix entre deux *postures,* la posture de l'historien ou la posture du commentateur.

Chaque posture a ses avantages et ses inconvénients sur le plan de la communication.

Cependant, la posture commentative est la plus « active ». Elle suscite une écoute plus forte. Elle « fait vivre » l'événement... comme si vous y étiez. Elle établit un rapport plus étroit, plus tendu entre le locuteur et l'auditeur. C'est alors qu'on a le plus de chance de créer du suspens...

Quels sont les moyens linguistiques susceptibles de caractériser ces deux attitudes de locution ?

C'est, notamment l'usage des temps verbaux ; on y ajoutera l'utilisation des marques personnelles (p. 12) et spatio-temporelles (p. 18). Comparons les deux phrases suivantes :

• « Deux jours plus tard, les clients s'attablèrent à la terrasse. Ils commencèrent à deviser sagement. »

• Deux jours plus tard, les clients s'attablent à la terrasse. Ils commencent à deviser sagement.

On peut remarquer que l'emploi du temps présent rend le texte plus vivant. Celui qui parle est vraiment en position de commentateur.

Il en aurait été de même si, au lieu du présent, on avait trouvé le passé composé :

• « Ils trottinèrent, deux jours encore dans la direction de l'ouest et finirent par trouver des habitations ».

• « Ils ont trottiné, deux jours encore dans la direction de l'ouest et ont fini par trouver des habitations ».

On peut considérer qu'il y a, en français, deux systèmes temporels : le système de l'histoire et le système du commentaire.

Temps de l'histoire	*Temps du commentaire*
passé simple	présent
plus-que-parfait	passé composé
	futur

Les enfants commencent en général par manier les temps du commentaire et n'en arrivent qu'ensuite, vers cinq ans, à l'utilisation des temps de l'histoire.

Pas plus que pour les observations linguistiques précédentes, il ne peut être question de donner ici un conseil absolu. Il est sûr qu'en certains cas, il sera plus utile de parler à la manière de l'historien. Mais, on peut attirer l'attention sur le fait que pour le genre de textes qui nous retient spécialement (communications professionnelles, discours de circonstances, etc.), la posture *commentative* sera la plus efficace.

La question à se poser sera donc : « quels temps verbaux ai-je employés ? Correspondent-ils bien à la position de communication que je souhaite avoir ? N'ai-je pas intérêt à utiliser plus souvent le *présent*, temps de l'action par excellence ? »

COMPARONS

- « L'auteur de cette fine plaisanterie fut déféré devant le conseil de guerre ».
- « À Minuit, à la station de métro Trocadéro, il fit demi-tour, dégagea son arme et tira aussitôt ».

- « L'auteur de cette fine plaisanterie a été déféré devant le conseil de guerre ».
- « À Minuit, à la station de métro Trocadéro, il fait demi-tour, il dégage son arme et il tire aussitôt »

Voici un extrait de *Paris-Match,* présenté par l'hebdomadaire comme « un passionnant *récit historique.* Examinons l'emploi des temps. Remarquons en particulier comment, pour les titres par exemple, le style commentatif apparaît : le passé simple fait place au présent ou au passé composé. Notons que l'imparfait — beaucoup employé ici — est commun au commentaire et au récit historique.

**Un
passionnant récit
historique**

L'OR FRANÇAIS
ÉCHAPPE À HITLER

Pendant la dernière guerre, la France perdit contre les armées de Hitler mais elle gagna la bataille secrète de l'or. C'est une épopée peu connue avec des épisodes glorieux ou bizarres et qui se déroula de l'Afrique aux Antilles. Son issue permit à la France de financer sa reconstruction. L'historien Alfred Draper la raconte dans un chapitre de son livre « Opération Fish », à paraître chez Plon, dont nous avons retenu ces extraits.

L'or est embarqué à Brest par des détenus de droit commun.

L'aube du 25 mai parut ; le ciel était clair et la visibilité parfaite. C'était le jour prévu pour la jonction avec le porte-avions « Béarn » et ses escorteurs. Rouyer, depuis son départ de Brest, avait ardemment souhaité que le porte-avions ait des appareils à son bord. « En effectuant des vols de reconnaissance autour de la formation, deux ou trois avions seulement auraient réduit la menace sous-marine de cinquante pour cent ou plus. Je contactai le « Béarn » par signaux à bras. »

Le timonier, debout sur une aile de passerelle, signala :
— Combien d'avions avez-vous ?
— Aucun, répondit le « Béarn ».

« Ainsi, conclut Rouyer, nous n'avions que notre cervelle, notre vitesse et la chance pour traverser l'Atlantique sans encombre. »

Il ordonna à la formation de prendre une vitesse constante de 14 nœuds, les navires devant rester en vue les uns des autres. Quand vint le soir, ils se formèrent en ligne de file derrière la « Jeanne d'Arc ».

Lorsque Pétain renouvela ses pressions, l'amiral fit le geste symbolique de brûler quelques avions qui n'étaient plus aptes au service. Le porte-avions « Béarn » et quatre pétroliers furent échoués et en partie noyés, mais ils étaient loin d'être irrécupérables. Robert en informa Vichy et justifia son inaction à propos des autres navires et de l'or. Il disait craindre une révolte et devoir conserver les moyens de protéger les familles des Français loyaux. Il entendait par là les éléments vichystes. La « Jeanne d'Arc » et l'« Émile Bertin » devaient être en état de marche pour les évacuer. En même temps, il assurait Pétain qu'il ne laisserait pas les Américains faire main basse sur quoi que ce soit.

Le gouvernement de Vichy refuse de prêter l'or français aux Anglais

Une fois encore les pelles et les balais entrèrent en action, mais des napoléons furent retrouvés dans des recoins des cales plusieurs semaines plus tard. Une dernière difficulté surgit. Le « Vincennes », escorté de destroyers, arrivait à Bordeaux pour embarquer l'or. Une discution acerbe s'engagea entre l'ambassadeur américain

Bullitt, le ministre des Finances et un officier de Marine français, au sujet du transbordement sur le croiseur américain.

Lorsque Churchill apprit que les Américains se proposaient d'adopter une attitude plus dure envers Robert, il écrivit au Général Ismay, chef militaire du secrétariat du cabinet de guerre : « Quelle est la situation à la Martinique ? Les cinquante millions de livres d'or sont-elles toujours là ? Quelles forces françaises y sont présentes ? J'ai l'idée que les États-Unis pourraient prendre le contrôle de la Martinique afin d'empêcher que l'île soit utilisée comme base des U-bootes. »

(*Paris-Match* du 12-4-1980.)

10. INTERROGEZ

Ce conseil ne réclame, pensons-nous, guère de développement. On voit clairement sa place au sein d'une rubrique consacrée à la persuasion des interlocuteurs. S'adresser directement à lui en l'interrogeant est, de toute évidence, une bonne manière de retenir son attention ou de relancer son intérêt.

L'emploi de tournures interrogatives oblige le destinataire à se sentir concerné. De plus l'interrogation donne un pouvoir à l'interrogateur : en quelque sorte il met l'interrogé en demeure de répondre.

Une utilisation équilibrée de tournures interrogatives peut donc nettement contribuer au suspens d'une communication. Pensons au conteur qui, ménageant ses effets, s'adresse à son auditoire : « Et alors, que pensez-vous qu'il est arrivé ? Vous croyez que Tintin s'est noyé ? Eh bien non... ».

La même constatation peut être faite à propos des tournures exclamatives.

On trouvera un exemple des effets de l'exclamation dans le texte publié ci-après, page 67.

Examinons les effets de l'interrogation dans le texte suivant. Il s'agit d'un extrait d'homélie.

...

« Quels signes cherchez-vous de la présence de Dieu ? Quel type de signe serait assez fort pour vous faire bouger ? Quel genre de signe serait assez éloquent pour vous faire changer, d'opinion ou de vie ?

Car il faut être sérieux. Il ne saurait s'agir ici de simple curiosité. La question est grave : si Dieu se montrait et que nous percevions sa présence, nous ne pourrions ensuite passer allègrement notre chemin en quête d'autres sensations.

Alors ? Quel genre de signe attendez-vous ?

Si vous aviez été avec les Mages à Bethléem, et malgré l'étoile, est-ce que ce nouveau-né dérisoire aurait été pour vous un signe suffisant ?

Et au Jourdain, la parole de Jean-Baptiste vous aurait-elle suffi ?

Et même à Cana, l'eau changée en vin aurait-elle été un signe assez clair pour vous ? C'est que, voyez-vous, les signes proposés par Dieu, et qui continuent à l'être, ne sont jamais du genre tonitruant !

Et nous, au fond, ce que nous cherchons ce sont des preuves, des preuves exactes, irréfutables, contraignantes. Or, ce qui nous est proposé ce sont de simples signes. Jésus le dit d'ailleurs, à un moment : « Vous exigez des preuves, mais vous n'en aurez pas. Vous aurez simplement le signe de Jonas ».

Les signes qui manifestent la présence de Dieu, tout près de nous et même en nous, sont d'une extrême délicatesse. Il faut avoir le cœur pur pour voir Dieu et percevoir ces signes. Et nous, nous cherchons le spectaculaire, le publicitaire. Nous nous sommes laissés piper par le monde et ses grosses exigences : ses gros chiffres, ses gros résultats, ses gros événements et ses gros titres. Mais il y a erreur sur le Signe. L'épiphanie du Seigneur éclate autrement.

Elle n'est pas du côté d'Hérode, le patron des tortionnaires, prêt à massacrer tous les enfants de deux ans par peur ridicule de perdre sa place. Ça c'est un gros événement. Ce n'est pas une épiphanie. Et ce ne sont pas non plus tous les baratineurs à la mode qui nous montrent tous les jours de nouvelles étoiles qui ne mènent nulle part qui font l'épiphanie du Seigneur. Ils font les gros titres, c'est tout. Ils sont beaucoup trop malins et trop puissants, alors que l'épiphanie du Seigneur, aujourd'hui comme toujours est tellement plus simple, et, tel le nouveau-né, beaucoup plus dérisoire aux yeux du monde.

L'Épiphanie du Seigneur, voulez-vous que je vous la dise ?

L'Épiphanie du Seigneur, aujourd'hui ?

Mais, c'est telle vieille femme que je sais à Toulouse, qui a vendu tous ses biens et depuis quarante ans vit avec les plus pauvres. Aujourd'hui, elle est à l'hospice, avec les plus abandonnés des vieillards et son visage est si beau que les larmes vous viennent aux yeux quand vous la voyez. (...)

L'Épiphanie du Seigneur ?

Mais c'est ce magnifique témoignage qui nous parvient de derrière les barbelés, où des croyants prient pour leurs bourreaux et meurent pour avoir attesté que Dieu existe. Ce Dieu bien aimé qui se manifeste de tant de façons et qui ne doit plus savoir quoi faire pour nous faire reconnaître sa présence sans aliéner notre liberté.

Que voulez-vous de plus, frères ?

Des épiphanies du Seigneur, vous auriez pu en citer tant d'autres exemples. Je n'en ai moi-même cité que quelques-uns.

L'Épiphanie du Seigneur, c'est la présence de Dieu qui se manifeste avec éclat sur la face du Christ, face ensanglantée et face ressuscitée.

Ouvrez donc les yeux, lavez-les à grande eau.

Vous verrez la gloire du Seigneur et vous serez illuminés. »

11. INVENTEZ DES FORMULES

L'écrivain efficace est un diseur de bons mots. On attend de lui beaucoup d'imagination verbale. S'il veut conquérir l'opinion, il doit lui mettre en mémoire quelques formules originales, faciles à retenir et résumant bien une idée force qu'il veut faire passer. Il doit, en quelque sorte, détenir les secrets du bon slogan.

Il doit donc créer. Inventer des formules qui s'imposeront à l'attention. Tantôt, il s'agira de titre d'article, tantôt de formules adroitement disséminées dans le texte, pour résumer un développement, par exemple.

Souvenons-nous de quelques formules du général de Gaulle. On en a parfois perdu de vue le contexte précis mais on n'a pas oublié l'expression elle-même :

« La rogne et la grogne. »
« La chienlit. »
« On empêche les étudiants d'étudier, les enseignants d'enseigner, les travailleurs de travailler. »

Notre mémoire est pleine de ces expressions nées un beau matin sans se douter de leur futur succès. Qui sait, par exemple, que la formule « rideau de fer » fut « lancée » par Churchill en 1946 : « Un rideau de fer (iron curtain) est tombé sur l'Europe ».

Sans prétendre à une notoriété aussi large, nos formules doivent essayer de répondre à un triple objectif : frapper, résumer, matérialiser.

La bonne formule est celle qui oblige le lecteur à s'arrêter, frappé par son originalité, son caractère inattendu. Elle doit aussi résumer une idée, rappeler un élément central dans le texte, attirer l'attention sur l'essentiel du message. Enfin, l'idéal est qu'elle puisse matérialiser cette idée : soit en fournissant au lecteur une image concrète (c'est le cas du « rideau de fer »), soit en attirant l'attention sur sa propre *matière,* par exemple en jouant sur les sonorités (« les copains et les coquins »).

Venons-en à un peu de technique. Comment s'y prendre pour inventer des formules ? Certes, ce peut être une question de talent ou d'habileté personnelle. Mais on peut aider le talent. Voyons comment.

La technique de la « bonne formule » se résume en un mot ; le mot *parallélisme.*

Il faut viser au parallélisme. Parallélisme externe ou parallélisme interne. Expliquons-nous.

Le parallélisme externe consiste à *s'approprier* une formule déjà existante et connue de tous (ou à peu près...) pour en *modifier* une partie en fonction de son propre objectif.

Quelques exemples éclaireront cette démarche.

Un journaliste doit rendre compte d'un drame de la mer. Il cherche une formule pour résumer son article. Il ne va pas dire « on ne résiste pas à la mer » ni « la mer est toujours la plus forte »... Mais il se souvient d'un titre littéraire, il le transforme et crée sa propre formule : « ON NE BADINE PAS AVEC LA MER ».

Les titres de roman, de film, les proverbes, les citations bibliques fournissent un matériau considérable pour ces « formules parallèles » :

MAIS OÙ SONT LES MANÈGES D'ANTAN ?

UN CERTAIN RICTUS

*Jean-Paul II :
à l'est du nouveau*

Elle aimait Ravel, son mari et les autres...

« Bruxelles à mur ouvert »

Le parallélisme interne vise à introduire une *ressemblance* ou un contraste entre plusieurs éléments du texte lui-même.

Tous les niveaux du langage sont requis :

– le niveau des sonorités :
> *Convaincre plutôt que contraindre.*

Toute une série de slogans électoraux :
> *Giscard à la barre,*
> *I like Ike.*

Beaucoup de formules publicitaires :
> *Du pain, du vin, du boursin.*
> *Minimir, miniprix, mais il fait le maximum.*
> *Ma ford a tous les atouts.*

– le niveau de la grammaire :

> *Pétrole : le monde entier se creuse la tête. Nous creusons dans le monde entier.*

Ce principe du parallélisme pourra rejaillir sur l'illustration qui accompagne un titre ou un texte. Considérons, par exemple, la couverture du numéro de *L'Express* consacré au thème « Les catholiques et la politique ». La confrontation

Illustration de couverture de l'*Express* n° 1500 (12.4.1980).

de ces deux mots a conduit à deux images possédant un trait commun. D'une part la main de Dieu dans une œuvre célèbre de Michel-Ange, d'autre part la main du citoyen déposant son bulletin électoral dans l'urne. Le rapprochement des deux images produira un dessin « détournant » l'œuvre picturale et illustrant rigoureusement le titre choisi.

EXERCICE RÉCAPITULATIF

Terminons cette rubrique par l'habituel exercice de récapitulation.

Le texte suivant est un extrait d'un article spécialisé paru dans le journal *Le Monde*. Le sujet abordé est difficile et technique. Il traite des débats et des combats qui se déroulent dans les milieux parisiens de la critique littéraire... L'auteur parvient, par son écriture, à « faire vivre l'événement ». Tentons d'en repérer les signes.

Règlement de comptes à « Sorbonne-City »

René Pommier casse la baraque sophistiquée de la nouvelle critique.

Englués que nous sommes dans les complaisances parisiennes, les copinages de métier ou de maison, les ascenseurs indéfiniment envoyés et renvoyés ; châtrés par les ménagements à prendre et les services à rendre ; émasculés par les dîners en ville et les carrières à faire ; étouffés de courtoisie, gavés de sirop, emmiellés de bienveillances fadasses, nous ne nous plaindrons certes pas de ce que

René Pommier, au mépris de toutes ces prudences, casse à grands coups de gueule et de poing la baraque sophistiquée de la nouvelle critique.

Comme il y va ! Quel punch ! Quel cogneur ! Et vlan sur l'un, et bing sur l'autre ! À côté de ce pourfendeur, le plus pugnace de nos hommes politiques n'est qu'un blême chicaneur. Hélas ! du reste. Deux fois hélas !

Cuistres et jobards

La nouvelle critique ? *Sottises, galimatias, sornettes, fariboles, élucubrations, divagations, balivernes et foutaises.* Ceux qui la font ? *Des cuistres, des faussaires, des trafiquants, des mariolles, des obsédés et des exhibitionnistes.* Les lecteurs ? Des *jobards* et des *gogos.* L'entreprise elle-même ? Elle est d'une *outrecuidance ahurissante,* d'une *cuistrerie ridicule,* d'une *exubérante absurdité,* d'une *stupidité jubilante.* C'est une *suite hallucinante d'absurdités :* tout cela à la fois, et rien que cela.

Le cœur m'a manqué, je l'avoue, pour mener à bien le catalogue des mots doux et des noms d'oiseaux qui, pour la plus grande part, tiennent lieu d'argumentation et de réflexion à M. Pommier. Quelque lecteur le fera s'il en a le courage, et pourra dire que la moins insultante de ces considérations revient toutes les quatre ou cinq lignes ; les plus basses étant, comme il est facile de le prévoir, réservées aux deux universitaires prises à partie par l'auteur, Mme Annie Uebersfeld et Mme Josette Rey-Debove.

Ce ne sont là qu'escarmouches, et M. René Pommier se propose, après avoir ridiculisé les disciples (?), de s'attaquer au maître et de régler définitivement son compte à Roland Barthes dans le premier volume à venir d'une collection : « Cuistres de notre temps ».

(...)

L'arroseur arrosé

Car ce qui distingue à coup sûr un « grand » texte d'un texte médiocre ou banal, c'est précisément qu'il est sans cesse « lisible » autrement. À ces nouvelles lectures on n'est en droit de demander que ceci : qu'elles soient cohérentes ; qu'elles s'appuient sur une large connaissance du vocabulaire de l'époque et de ses mentalités ; enfin qu'elles soient elles-mêmes lisibles.

On donnera volontiers acte à René Pommier que cette dernière condition n'est pas souvent remplie ; qu'il y aurait encore à gagner sur la seconde, et quelquefois sur la première. Mais fallait-il jeter si rudement le bébé avec l'eau du bain ? L'entrée en force des linguistes dans le domaine de la critique littéraire, l'emploi systématique de l'analyse freudienne et des méthodes de la sémiotique à des fins qui sont effectivement de « décodage » des textes, ont au moins l'avantage de sortir ceux-ci d'un Panthéon déserté pour les rendre au tumulte des controverses. Qui s'en plaindra ?

Jacques CELLARD
(*Le Monde*, 15-12-1978.)

IV. ÉCRIRE,
C'EST DONNER SON POINT DE VUE

Nous abordons, avec cette rubrique, un nouveau pouvoir du texte : sa *prise de vue*.

Jusqu'à présent, ce qui nous a retenu, ce fut surtout l'action du texte sur le *lecteur*. Pour le relier à l'auteur, le solliciter, le convaincre. En effet, qu'on le sache ou non — mais ne valait-il pas mieux le savoir ? — le texte est tout à la fois filin et grapin. Il relie et il captive. Ou du moins, il essaie. En bref, parler, c'est toujours désirer l'autre...

Mais le texte parle *de quelque chose*. Et il ne laisse pas intact ce dont il parle : il y fait des coupes, il n'en saisit que des bribes et des morceaux. Il est partial et partiel.

On peut comparer l'écriture à un geste d'éclairage. Une lueur est projetée sur une réalité. Mais cette lueur ne peut être que relative. Elle provient de quelque part, elle est dirigée plus ou moins fermement, elle est réglée selon un certain angle... De tous ces facteurs, il adviendra que tel aspect plutôt que tel autre sera « mis en lumière ».

Le texte lui aussi éclaire et laisse dans l'ombre. Il trie, il choisit, il met en ordre... Rien de tout cela n'est innocent. En fait, à travers cela, apparaissent des systèmes de valeurs : des

Voyons comment cette « idéologie » peut se révéler à travers cette *coloration* d'un texte.

Lisons le texte publicitaire suivant :

> « À 20 ans, on a la vie devant soi, pas beaucoup d'argent derrière et pas très envie d'en mettre de côté.
>
> Au Crédit Agricole, on *ne vous obligera pas* à devenir riche avant de vous donner un carnet de chèques. Et si vos premières rentrées servent à organiser vos sorties, on *ne vous en voudra pas.*
>
> Pour vous *aider* à surveiller les hauts et les bas de votre compte, régulièrement le Crédit Agricole vous en donnera des nouvelles. Et si vous le lui demandez, il peut même *régler automatiquement* vos factures. Pour nous, un compte-chèque, c'est un *outil, pas une contrainte.*
>
> Parce que pour *profiter de la vie,* il faut avoir l'esprit *libre.* »

Posons une question à ce texte : Quels sont les mots qui sont porteurs d'une appréciation ? Nous pouvons au moins dégager ceux-ci :

- ne pas obliger (le texte présente cela comme heureux)
- ne pas (vous) en vouloir
- (vous) aider
- régler automatiquement
- l'outil (apprécié par opposition à la *contrainte* qui est rejetée)
- profiter de la vie (considéré comme un but à poursuivre)
- libre (souhaité pour l'esprit)

Ces quelques mots sont apparentés les uns aux autres, on peut les regrouper en trois axes :

LIBERTÉ :   ne pas obliger
                pas une contrainte
                esprit libre

AIDE :   ne pas vous en vouloir
                vous aider
FACILITÉ :   automatiquement
                outil
                profiter de la vie

Ce long exemple, fastidieux peut-être, était nécessaire pour nous montrer le *rôle global* de tous ces *termes appréciatifs et dépréciatifs* au sein d'un texte. Nous pouvons comprendre maintenant l'intérêt que nous pouvons avoir à contrôler *notre manière de colorer nos textes.*

Bien choisis, bien disposés dans le texte, ces mots porteurs de nos préférences peuvent augmenter l'efficacité de nos textes.

Soyons particulièrement attentifs aux adjectifs et aux adverbes que nous employons. Partons à la recherche, dans les dictionnaires de synonymes, par exemple, des termes qui serviront le mieux notre propos, qui manifesteront plus clairement nos préférences. Soyons conscients, en tout cas, qu'à travers eux une idéologie prendra corps.

Une fois notre texte écrit, relisons-le dans cette optique : quel en est le paysage appréciatif ? S'il le faut recommençons le coloriage.

Exerçons-nous à dépister appréciatifs et dépréciatifs dans le texte suivant.

UNE NOUVELLE GRAMMAIRE

Pas d'aventure

La tâche était périlleuse. Il fallait faire des options entre différentes écoles de linguistes, rejeter ce qui n'était que mode ou fantaisie, retenir ce qui était solide, ne pas lâcher le bon sens, ne pas se laisser tenter par l'extrémisme... Ces classifications des linguistes structuralistes sont logiques dans leur système, qui ne veut considérer que la structure formelle de la phrase. Mais elles sont catastrophiques du point de vue de l'orthographe des attributs, que l'on ne parviendrait plus à accorder avec leur sujet, faute de les avoir reconnus. Elles sont plus catastrophiques encore au point de vue du sens, car la relation sémantique entre le sujet et l'attribut n'aura pas été précisée.

Une évolution

Cette catastrophe a été évitée de justesse par les responsables... Ils n'ont pas sacrifié à la mode du changement en suivant aveuglément les linguistes techniciens. Ces derniers auraient voulu les mener loin de notre bonne vieille analyse, ce qui aurait fait jurer tous nos maîtres. Heureusement, le nouveau programme ne les suit pas.

Celui-ci puise à bon escient dans les grammaires distributionnelles, génératives et structurales ce qu'elles ont de percutant.

Il leur laisse ce qu'elles ont d'extrémiste, de technique et de rébarbatif. Il est dans la ligne de l'évolution amorcée par l'analyse fonctionnelle, proposée par le programme précédent de 1963.

Ce que les auteurs de ce nouveau programme ont refusé carrément dans leurs discussions avec les linguistes les plus résolus, c'est d'abandonner le point de vue sémantique. Si l'on analyse une phrase, ce n'est pas pour en démonter la structure formelle, c'est pour mieux en comprendre le sens.

... On se réjouira donc pour nos enfants ; il s'agit d'une réelle simplification du programme. Enfin !

13. CHERCHEZ À QUI L'OPPOSITION PROFITE

Le texte, avons-nous dit, doit choisir un bon angle de vue. Le texte efficace manifestera cet angle sans ambiguïté.

Le petit procédé conseillé ici n'est vraiment pas sorcier. Il est cependant fort utile.

Il trouve sa justification dans le principe suivant : une idée se comprend toujours mieux lorsqu'elle est éclairée par son contraire.

Prenons l'idée de liberté. Je puis écrire à son sujet beaucoup de choses. Mais si, tout simplement, je signale *à quoi j'oppose* l'idée de liberté, tout s'éclaire déjà un peu.

Je peux dire, par exemple : *la liberté exclut toute contrainte*, et l'on comprend que je pense à une liberté totale, permettant à tous les désirs de se donner libre cours.

Mais si je dis : « La liberté oui, la licence non », on comprend que ma pensée est bien différente du cas précédent.

Ce procédé de mise en opposition est largement employé :

- « Le gaullisme est moins une théorie qu'une pratique ».
- « Lisez par plaisir, pas par devoir ».
- « Une évolution, oui. Une révolution, non. »
- « Vous avez des idées, nous avons l'argent. Entrez ».

Ce que nous avons dit du paysage appréciatif d'un texte vaut évidemment aussi pour ces locutions oppositives. Chaque fois, le locuteur exprime une préférence, un choix d'ordre idéologique.

On voit donc l'intérêt stratégique de l'usage de telles locutions dans un texte.

Donnons-en un exemple. Disséminés dans un article, nous trouvons les « oppositions » suivantes :

- « C'est l'intelligence politique et non la guerre qui pourra résoudre les conflits mondiaux. »
- « On reconnaît des droits aux militaires ; on devrait en reconnaître bien plus aux inventeurs de paix ».
- « Le budget du ministre de l'Éducation doit évidemment être plus important que celui du ministre des armées ».
- « L'Histoire célèbre toujours les conquêtes militaires. Pourquoi pas les victoires scientifiques ? »

Chaque fois, deux termes sont dressés l'un en face de l'autre. L'un est retenu, l'autre est exclu. Examinons-les.

RETENUS	EXCLUS
Intelligence politique	Guerre
Inventeurs de paix	Militaires
Éducation	Armée
Science	Armée

Une grande cohérence apparaît donc. D'une part, du côté des exclus, l'armée. D'autre part, du côté des préférés, l'intelligence ou la science.

À travers ces locutions, réparties dans le texte, c'est donc un grand axe qui traverse l'article et qui, obstinément, oppose la chose militaire à la chose intellectuelle. Opposition qui ne va pas de soi, bien sûr ! Les militaires peuvent à juste titre faire état de leurs recherches et de leur science. Ils peuvent aussi prétendre au titre d'artisan de paix. L'intérêt, pour nous, est de découvrir que le texte INSTALLE une opposition précise. Par là, il manifeste UN éclairage qu'il veut donner à une réalité. Par là aussi se trace un choix idéologique : ici, la présentation obscurantiste de l'armée.

On voit le rôle qui peut être obtenu par l'utilisation de ces expressions disjonctives. Sachons ciseler en une ou deux oppositions l'idée force de notre texte. Plaçons-les aux bons endroits. Nous y gagnerons en efficacité.

Notons, sur le plan technique, que plusieurs types d'opposition peuvent être utilisés. L'idéal étant, naturellement, d'en varier les emplois.

On peut ainsi distinguer l'*exclusion nette* (« On se souviendra des poètes, on oubliera vite les professeurs »), la *préférence* (« Mieux vaut agir que parler »), les *équivalences* (« Pendant les vacances, les étudiants ont à se reposer mais aussi à travailler un peu »).

Il est urgent
de produire un monde
où chacun pensera à être
plutôt qu'à paraître,
à créer
plutôt qu'à critiquer,
à vivre plutôt
qu'à faire mourir

14. METTEZ DES GRADATIONS

Dans un cas au moins — celui de l'écriture — le respect de la voie hiérarchique sera efficace.

Respecter et établir des hiérarchies : voilà le conseil que nous voudrions adresser maintenant. En effet, après avoir semé dans le texte quelques locutions oppositives, après l'avoir colorié adroitement, il reste encore un moyen pour préciser, si besoin est, les arêtes de l'angle de vue choisi. C'est celui des gradations, des superlatifs et des figures principales et subordonnées.

Faisons référence, une fois encore, au général de Gaulle. Il avait coutume d'égrener dans ses discours des énumérations ternaires :

> « Voici qu'on vient de voir se déclencher une nouvelle offensive, menée par les mêmes assaillants, soutenue par les mêmes complices, utilisant les mêmes moyens et menaçant encore de faire crouler la monnaie, l'économie et la République.
>
> ...
>
> Ai-je besoin de déclarer qu'elles seront fermement défendues, de dire que je suis certain que le pays nous y aidera, d'annoncer, qu'en fin de compte, leurs adversaires seront les perdants ? »

Ce procédé d'écriture n'est pas seulement oratoire au sens vieilli du terme. Il contribue efficacement à la communication.

De plus, ces énumérations peuvent prendre l'allure d'une gradation : on fait alors porter sa préférence soit sur le premier terme soit sur le dernier. Et on conforte ainsi le paysage « appréciatif » du texte.

Prenons un exemple — pour varier nos citations... chez une professionnelle de la parole à la radio, Ménie Grégoire :

« Madame, soyez libre, neuve, moderne ! »

Manifestation consciente d'une idéologie où la valeur première est la modernité ? Nous n'oserions l'affirmer : il faudrait regarder bien d'autres extraits des émissions ici évoquées.

On pourrait multiplier les exemples. Citons-en un dernier, extrait d'un article du *Monde* : « Ce que nous réclamons, c'est une action militaire, politique, diplomatique ». Le terme marqué est ici le dernier : nous avons affaire à une énumération croissante.

Ce procédé ternaire n'est pas le seul à exercer la mise en hiérarchie. Il faut savoir que l'usage des superlatifs (absolus : « ce programme est extrêmement ambitieux ») ou relatifs (« je serais plus pessimiste que vous ») se révèle également d'un grand poids dans l'établissement du profil idéologique d'un texte. Le lieu où il y a des superlatifs est un lieu stratégique. Le contenu y prend une charge affective et émotive. Il est doté de la marque de l'exceptionnel.

Enfin, il faut encore évoquer ce que nous avons appelé les *figures principales.* Il s'agit d'un procédé par lequel on subordonne une idée à une autre qui, dès lors, possède, sur elle, autorité. L'exemple le plus simple est celui de l'expression d'*un but,* d'une *finalité.*

> « Aidons le travail des peuples moins développés. Non pour qu'ils soient les pions de nos politiques, mais *pour améliorer les chances de la vie et de la paix.* »

Cet exemple contient une figure principale : ce qui est visé — et qui est en position dominante — c'est l'amélioration des chances de la vie et de la paix. Le moyen pour cette fin, c'est l'aide aux pays moins développés.

La construction adroite de ces figures servira, elle aussi, à rendre l'écriture plus efficace pour défendre nos idées.

La question à se poser peut être résumée comme suit : « Étant donné l'échelle de valeurs que je veux défendre et communiquer, ai-je bien ciselé l'une ou l'autre gradation ternaire ? Ai-je bien contrôlé l'emploi des superlatifs ? Ai-je bien construit les figures principales et subordonnées ?

15. RÉPÉTEZ-VOUS, C'EST PARFOIS BON

Un dernier petit conseil pour terminer. Il sera très bref : ne craignez pas de répéter, sous des formes diverses, l'idée-force que vous voulez défendre. Tous les textes efficaces ont en commun la qualité de cohérence. Ils ne s'égarent pas à la poursuite de plusieurs lièvres. Ils ont une idée. Un but. Et ils mettent au service de ce but un maximum de moyens d'écriture. Nous en avons énuméré toute une série au fil de ces pages. Certes, le texte évolue et l'argumentation se développe. Mais à chaque étape, la même question peut se poser : « Le même but est-il toujours bien poursuivi ? »

Donnons un petit exemple d'une répétition caractéristique. Interrogé par Jacques Chancel, au cours de son émission « Radioscopie », Giscard d'Estaing est en butte à une question grave. Grave car elle touche à sa compétence spécifique de Chef d'État. La question insinue qu'il pourrait manquer de détermination. Il ne faut surtout pas que les auditeurs imaginent pareille chose. Il répétera donc, plus d'une fois, qu'il n'a « jamais manqué de détermination » :

J.C. Tiendrez-vous en cas de coup dur ?
V.G.E. — Monsieur Chancel, je n'ai jamais, dans mon existence, à aucun moment, manqué de détermination. Il

est vrai que j'ai horreur de la brutalité en tant que telle. Je ne l'admire pas et je ne la pratique pas, mais je n'ai jamais manqué de détermination. Ayant été ministre des finances pendant douze ans, les Français n'ont jamais observé que *j'avais manqué de détermination*, on m'a même parfois fait le reproche contraire. Donc, je vous dis que, dans les circonstances de toute nature que traversera notre vie nationale, je ne manquerai jamais de détermination.

Le lecteur — ou l'auditeur — a besoin de rappels. C'est ce qui aura été répété qui sera retenu et probablement compris. Car souvent, c'est parce qu'il peut se raccrocher aux répétitions qui sont faites — comme des sortes de haltes, d'aires de repos — que le lecteur peut suivre un raisonnement.

Donnons-en un dernier exemple.

Un prédicateur, soucieux d'inviter ses fidèles à une foi créatrice et inventive, plutôt que reproductrice, ne s'est pas contenté de le dire et de le démontrer. Il a organisé son homélie de telle façon qu'à trois reprises, sous des modalités diverses, cette idée-force puisse être reformulée :

1. « Faites preuve d'imagination, ne laissez pas votre foi s'enfermer dans la répétition de formules toutes faites. »
2. « Que votre fidélité à la foi soit créatrice pour les autres. »
3. « Puisez dans votre foi l'audace de faire comme Dieu : toujours du neuf. »

N'hésitons pas à relire nos textes et à y chercher quelques endroits « stratégiques » où une répétition de notre argument essentiel ne ferait pas de tort. Ce sera encore une manière de travailler à une écriture efficace.

EN GUISE DE RÉSUMÉ

Quelques questions à nous poser pour mesurer l'efficacité de nos textes.

1. Mon texte contient-il suffisamment de marques des signataires et destinataires (pronoms personnels, possessifs, ...) ?
   Cela aide-t-il le texte à atteindre ses objectifs ?

2. Ai-je précisé les rapports entre le texte et le moment (voire le lieu) de son énonciation ? Que manifestent ces indices spatio-temporels ?

3. Quelle image de marque mon texte donne-t-il de son narrateur et de ceux à qui il s'adresse ?
   Par quelles allusions ?

4. Ai-je suffisamment *traduit* les termes difficiles ? Ai-je bien pensé à utiliser quelques images concrètes proches de mes interlocuteurs ?

5. L'allure générale de mon texte est-elle plutôt affirmative que négative ?

6. Ai-je disposé quelques signes de compréhension vis-à-vis du lecteur ou de l'auditeur ?

7. Suis-je *positif* dans mes propos : vocabulaire « optimiste » ... ?

8. Mon texte est-il suffisamment *actif* (verbes d'action, etc.) ?

9. Quels sont les temps des verbes que j'ai utilisés ? Le texte apparaît-il surtout comme un commentaire vivant ou comme une narration passive ?

10. N'y a-t-il pas lieu d'interpeller directement le lecteur en l'interrogeant ?

11. Mon texte comporte-t-il des formules originales, des jeux de mots adaptés aux circonstances ?

12. Quels sont, dans mon texte, les termes qui servent à apprécier et à déprécier ? Que montrent-ils ? Est-ce justifié par le but que je poursuis ?

13. Les lignes de force de mon exposé sont-elles traduites par des locutions disjonctives ?

14. Ai-je bien surveillé les gradations, les superlatifs, les figures principales ? L'ensemble est-il cohérent, étant donné mes objectifs ?

15. Quelle est l'idée qui apparaît à travers les répétitions ? Est-ce bien ce que je voulais ?

Tout au long de ces pages, l'occasion nous fut donnée de mesurer le poids du langage. L'enjeu en est un pouvoir. Pouvoir pour les hommes de se relier... ou de se lier. De s'entretenir ou... de se retenir.

Éveiller ce regard critique sur le langage, tel était notre but. C'est ce qui nous a décidé à réaliser ce travail de vulgarisation.

Nous avons aussi tenté d'enseigner l'efficacité dans l'échange de paroles. S'il est vrai que c'est dans le champ du langage que l'homme peut advenir, nous espérons avoir œuvré pour un peu de liberté, de tolérance et de communication.

Sitges, le 9 avril 1980.

TABLE DES MATIÈRES